Gianini Ferreira

MENTE MINIMALISTA

Minimalismo como
um novo estilo de vida

Publisher
Henrique José Branco Brazão Farinha
Editora
Cláudia Elissa Rondelli Ramos
Preparação de texto
Cláudia Elissa Rondelli Ramos
Revisão
Gabriele Fernandes
Projeto gráfico de miolo
Vanúcia Santos
Diagramação
Vanúcia Santos
Capa
Rubens Lima
Impressão
Renovagraf

Copyright © 2020 by Gianini Ferreira
Todos os direitos reservados à Editora Évora.

Rua Sergipe, 401 – Cj. 1.310 – Consolação
São Paulo – SP – CEP 01243-906
Telefone: (11) 3562-7814/3562-7815
Site: hhttp://www.evora.com.br
E-mail: contato@editoraevora.com.br

Dados Internacionais de Catalogação na Publicação (CIP) de acordo com ISBD
Elaborado por Vagner Rodolfo da Silva - CRB-8/9410

F383m   Ferreira, Gianini
         Mente minimalista: minimalismo como um novo estilo de vida
/ Gianini Ferreira. - São Paulo, SP : Évora, 2020.
         192 p. ; 14cm x 21cm.

         Inclui bibliografia.
         ISBN: 978-65-88199-01-5

         1. Autoajuda. 2. Minimalismo. 3. Vida simples. 4. Estilo de vida.
I. Título.

2020-1558   CDD 158.1
                                               CDU 159.947

Índice para catálogo sistemático:
1. Autoajuda 158.1
2. Autoajuda 159.947

AGRADECIMENTOS

Quero agradecer a ajuda especial de algumas pessoas que contribuíram para esta obra, começando pelo amor da minha vida, minha esposa Patrícia Herrera, aquela que mais me apoia e torce por mim. A João Carlos Ruzza pelo apoio na pesquisa das origens do minimalismo e, particularmente, pela valiosa amizade e pelo dom da conversa direta e acolhedora. Ao amigo brasileiro Jorge Koho Mello, pioneiro do movimento Simplicidade Voluntária no Brasil, que, direto de Zurique, aceitou prontamente escrever o prefácio do livro e o fez com grande maestria e leveza, recheando de sentido cada palavra. Ao amigo Cadu Lemos por nos inspirar com o seu agudo texto sobre *flow*. À Paula Matias, amiga de Lisboa, por compartilhar a sua relação com o minimalismo. À Fátima Teixeira pela coragem e generosidade de dividir com a gente o modo como lidou com um grande desafio no minimalismo. Aos meus fiéis seguidores e seguidoras do canal Mente Minimalista no YouTube e em outras redes sociais e aos leitores do blog Mente Minimalista, cujos comentários e feedbacks preenchem-me de sentido e revigoram o meu compromisso em disseminar a mensagem do minimalismo. Naturalmente, aos meus pais por terem me dado a vida e as bases de quem sou. E a Deus pelo interminável e incondicional amor, a quem esforço-me para honrar e dignificar o dom da vida.

Sumário

Prefácio 7

1. Começando um novo estilo de vida 9

2. Transformação minimalista 17

3. Origens do minimalismo 25

4. Decifrando o minimalismo 33

5. Mitos do minimalismo 43

6. Decifrando o significado de "menos é mais" 55

7. Como começar no minimalismo? 67

8. Como ser minimalista? 73

9. Mente minimalista 89

10. Dez práticas minimalistas para começar já 109

11. Minimalismo e aprendizagem 127

12. Minimalismo e criatividade 149

13. Minimalismo e produtividade 163

Posfácio 179

A aprendizagem continua 185

Referências bibliográficas 187

PREFÁCIO

É sempre uma grande alegria compartilhar algo que traz sentido e contentamento à nossa existência. Foi com essa sensação que recebi o honroso convite para escrever o prefácio desta obra de Gianini Ferreira sobre a mente minimalista.

Com habilidade e gentileza, Gianini nos brinda, aqui, com o que considero a ferramenta mais efetiva no caminho de uma vida mais plena: a arte de questionar, na forma e na proporção adequada.

Ao longo do texto, somos convidados a olhar para aspectos pragmáticos do cotidiano, sem perder de vista as motivações e causas subjacentes de nossas escolhas. Agrada-me, sobretudo, a combinação harmoniosa entre um embasamento consistente e respeitável de informações teóricas e a sugestão de exercícios práticos e questionamentos individuais, o que somente torna-se viável pela tranquila autoridade do autor no tema, que surge de uma experiência pessoal continuada. Nesse sentido, uma virtude da obra é propor um caminho efetivo e autêntico que, por isso mesmo, dispensa a imposição de qualquer dogma em relação ao minimalismo.

Transitando com leveza tanto por aspectos básicos da prática quanto por referências teóricas bastante amplas, o autor nos permite acessar uma metodologia coerente, com clareza e simplicidade.

Atualmente, vemos muitas iniciativas focadas na oferta de respostas prontas; já aqui, o que podemos vivenciar é o frescor de uma proposta baseada em questionamento contínuo, o que a torna dinamicamente conectada com o contexto de quem lê e permite a revisão de nosso estilo de vida a partir de um olhar mais acolhedor, no qual o modo de caminhar é mais importante que a expectativa de resultados.

Celebro a disponibilização deste livro, e aspiro que possa beneficiar muitas pessoas através do acesso a um caminho que é mais amplo que qualquer conceito. Que a motivação manifestada pelo autor se concretize no cotidiano de cada um de nós, na forma de mais saúde, liberdade e lucidez.

Sigamos em plenitude, com a inspiração do mínimo necessário, que não será menos do que o suficiente. Boa leitura e votos de uma boa jornada com a mente minimalista.

Jorge Koho Mello
Zurique, Suíça

1

COMEÇANDO UM NOVO ESTILO DE VIDA

Tome cuidado com a aridez de uma vida ocupada.

SÓCRATES

O que te faz feliz?

Como você quer viver o restante da sua vida?

ESTE LIVRO É PARA TE AJUDAR A DECIDIR SOBRE COMO VOCÊ QUER VIVER.

O PROBLEMA – POR QUE MINIMALISMO?

Vivemos atualmente no pico da sobrecarga, assoberbados de coisas, informações e afazeres. Inflamos nossas vidas e o planeta com nosso estilo de vida, explorando os recursos naturais de forma irresponsável e desequilibrada para sustentar um modelo que, há anos, vem mostrando sinais de que está à beira de um colapso.

Nosso modo de viver extinguiu outras espécies, devastou florestas e continua promovendo outros danos, alguns irreparáveis, que comprometem o futuro das próximas gerações.

Segundo estimativa da Global Footprint Network,[1] organização internacional pioneira em calcular a pegada ecológica,[2] para manter o mesmo padrão de consumo atual, seria necessário 1,75 planeta Terra. Todo ano, a organização publica o Dia de Ultrapassagem Global, em referência ao dia em que o padrão de consumo médio da humanidade ultrapassa a capacidade do planeta.

Em 2019, o ponto máximo de uso dos recursos naturais que poderiam ser renovados sem ônus ao meio ambiente foi alcançado em 29 de julho.

Pelo site footprintcalculator.org[3] é possível ter uma estimativa por país para 2020. No caso do Brasil, o Dia de Ultrapassagem está previsto para 31 de julho; é como se estivéssemos estourando o nosso orçamento ecológico. Não tenho dúvida de que o nosso estilo de vida está diretamente relacionado com os impactos causados ao meio ambiente.

Mas, no fundo, temos consciência disso. A diferença é que alguns decidem fazer algo a respeito enquanto outros fecham os olhos.

Se refletirmos honestamente, perceberemos que não é dessa maneira que queremos viver. Todos nós podemos sentir os efeitos colaterais desse modo de vida. Todos nós, em algum momento, chegamos ou estivemos perto de atingir o nosso limite.

Fomos fisgados pela ideia de que precisamos sempre de mais para sermos felizes. A cultura do materialismo explorou de forma bem-sucedida as fraquezas humanas.

Por trás de mensagens criativas e emotivas, existem intenções claras de fomentar gerações de consumistas, condicionadas a preencherem o vazio existencial através da compra. As mensagens são:

"Para ser tão bonita quanto ela, compre isso."

"Para ser tão respeitado e admirado como ele, compre aquilo."

---

1 Disponível em: ‹https://g1.globo.com/natureza/noticia/2019/07/29/sobrecarga-da-terra-2019-planeta-atinge-esgotamento-de-recursos-naturais-mais-cedo-em-toda-a-serie-historica.ghtml›. Acesso em: 4 maio 2020.

2 Pegada ecológica é o impacto, os rastros ou as consequências deixadas pelas atividades humanas (comércio, indústria, agricultura, transportes, consumo) no meio ambiente. Quanto maior a pegada ecológica de uma atividade, mais danos são causados ao meio ambiente.

3 COUNTRY OVERSHOOT DAYS. Earth Overshoot Day. Disponível em: ‹https://www.overshootday.org/newsroom/country-overshoot-days/›. Acesso em: 4 maio 2020.

"Para ser bem-sucedido, compre isso."

"Para ser 'o cara', compre aquilo."

Percebe que todas as mensagens têm a intenção de influenciar nossas decisões? Elas dizem: para **ser** é preciso **ter**. Como se fôssemos crianças, sem discernimento para tomar decisões, rendemo-nos a esses estímulos.

Não estou propondo com este livro que voltemos a alguma época da nossa vida em que vivíamos com mais simplicidade. Isso não é prático. A proposta é melhorar o modo como lidamos com a vida agora e no futuro. Conscientes ou não, são as escolhas do presente, as pequenas e as grandes, que moldam nosso futuro.

Como você tem tomado decisões?

Como está se sentindo neste momento?

Será que você está perto ou ultrapassou o seu limite?

Como está a sua saúde física e mental?

Você está feliz?

Afinal, o que está de mais na sua vida? Quais áreas gostaria de simplificar?

Faço um convite para refletir se as suas escolhas estão proporcionando qualidade de vida e aproximando-o de viver seus sonhos.

A VIA ALTERNATIVA

O minimalismo é uma das saídas para quem busca uma vida mais simples. Entre as alternativas possíveis, talvez essa seja a mais concreta e inspiradora.

O pragmatismo do minimalismo enquanto ferramenta de transformação pessoal é um dos fatores que tem atraído cada vez mais pessoas para esse estilo de vida.

Minimalismo não é moda, é ação!

A proposta dessa filosofia de vida é resgatar nossa essência enquanto humanos e nos colocar como condutores da nossa vida.

Vale alertar que apenas o minimalismo não é a solução para todos os problemas existenciais. Minimalismo é uma, entre outras ferramentas, que, se bem usada, pode produzir resultados incríveis. A ferramenta mais poderosa à nossa disposição é a nossa mente. É com ela que devemos escolher qual tipo de vida queremos viver. Infelizmente, temos maltratado muito a nossa mente, deixando-a embotada, entulhando-a de tralhas.

Um dos principais objetivos deste livro é corrigir isso, criando um estilo de vida exteriormente simples, mas interiormente rico, como nos inspira Duane Elgin.[4]

A TRANSFORMAÇÃO MINIMALISTA

O livro *Mente minimalista* mostra como podemos aprender a exercitar nosso poder de escolha para dar mais significado à nossa vida e reduzir a nossa pegada ecológica.

Não importa o quanto tropeçamos nesta caminhada ou o quanto estamos ansiosos e inseguros em relação ao futuro. O foco deverá ser em quem estamos nos tornando enquanto caminhamos.

Provavelmente dogmas e falsas expectativas terão que ser removidos, e em seu lugar surgirão desafios e novos hábitos. Essa é a saga de quem decide pelo autoconhecimento.

O QUE IMPORTA PARA VOCÊ?

Pode ser que, em algum momento da sua vida, você tenha dito algo parecido com esta frase: "Não precisamos de muito para sermos felizes".

---

4 Autor do livro *Simplicidade voluntária: em busca de um estilo de vida exteriormente simples, mas interiormente rico*. São Paulo: Cultrix, 2005.

Normalmente a falamos em um estado de contentamento que une a simplicidade e a felicidade do momento.

Vamos conversar sobre como podemos aumentar e prolongar esse estado de contentamento em nossas vidas, aprendendo a viver com o suficiente e a ser gratos pelo que somos e pelo que temos.

QUEM SOU EU E O QUE PROPONHO

Sou apenas mais um minimalista caminhando em busca de autoconhecimento, disseminando a mensagem de uma vida simples e com sentido.

Não estou te propondo "o caminho da felicidade". Faça o seu caminho, pois quem conhece melhor a sua vida e o que te faz feliz é você mesmo.

O que proponho é partilhar alguns princípios e experiências sobre o estilo de vida minimalista, que, se desejar, poderá adotar imediatamente.

Você se deparará, no mínimo, com três tipos de decisões:

Decisões fáceis – são necessárias, pois nos darão disposição para começar e energizarão o processo de transformação. Além disso, o grande valor desse tipo de decisão é a **criação de novos hábitos**.

Decisões difíceis – são aquelas que exigirão um grau maior de reflexão e coragem e, ao mesmo tempo, as que **transformam de verdade** devido ao impacto que geram em nossa vida.

Decidir não fazer nada – sim, decidir não decidir também é uma decisão. Contudo, precisamos refletir por que estamos agindo assim e avaliar as consequências.

Quem mais pode nos atrapalhar somos nós mesmos. Conforme explica Joshua Becker:[5] "Minimizar nos força a confrontar nossas coisas, e nossas coisas nos obrigam a nos confrontarmos".

5 BECKER, Joshua. *A casa minimalista: guia prático para uma vida livre de excessos materiais e com novo propósito. Rio de Janeiro: Agir, 2019, p.168.*

PARA QUEM
É ESTE LIVRO?

Para quem reconhece que ultrapassou o limite do que é essencial para viver e decidiu simplificar a vida de maneira consciente, em busca de mais significado. Não se trata apenas de remover excessos, mas, principalmente, de decidir sobre o que vale a pena manter na vida.

Este livro é também para as pessoas que, equivocadamente, entendem ser minimalistas pelo fato de viverem em uma situação de privação em função de uma circunstância socioeconômica. Assim como minimalismo não é voto de pobreza, ser pobre não torna ninguém minimalista. Minimalismo é uma escolha de vida feita de maneira deliberada, independentemente da circunstância.

Potencialmente, o minimalismo é para qualquer pessoa disposta a participar ativamente da criação de uma nova civilização, aprendendo a analisar o impacto das escolhas que faz nas coisas mais simples da vida.

QUEM SÃO
OS MINIMALISTAS

Talvez você tenha conhecido alguns minimalistas e suas histórias inspiradoras sobre como mudaram totalmente de vida, livrando-se da sobrecarga e recomeçando a jornada de maneira mais leve.

Mas saiba que, por mais inspiradoras que as histórias sejam, elas continuam sendo as histórias de outras pessoas. Você precisa construir a própria história.

O alerta que quero deixar é que a comparação, em vez de ajudar, pode causar dois efeitos danosos: empolgação artificial e desânimo. Busque, sim, inspiração, mas respeite seus limites e decida por você, não por influência dos outros.

QUANDO COMEÇAR?

Agora. Comece exatamente de onde está e com as condições que estão disponíveis. Mas o que devo fazer primeiro? Mudar a mentalidade. Nunca é cedo ou tarde demais para começar no minimalismo. Existem minimalistas que me seguem e fizeram a sua transformação após os setenta anos de idade. E existem jovens animados, cheios de vitalidade, querendo construir um estilo de vida simples e com propósito. Costumamos dizer que tudo tem a sua hora. Espero que esta seja a sua.

COMO FAREMOS ISSO?

Criando situações de aprendizagem com dicas, métodos, histórias e desafios que estimulem a reflexão e a ação.

As situações de aprendizagem são obrigatórias? Não, mas são recomendações que, acredito eu, podem potencializar a sua transformação minimalista.

Você encontrará várias dicas para auxiliar a mudança de mentalidade e para criar novos hábitos. E a primeira é: não tente fazer tudo de uma vez, pois tudo em exagero pode sobrecarregar e diminuir o efeito da transformação.

Talvez você possa escolher uma ação que sirva como ponto de alavancagem para influenciar outras áreas da sua vida. De qualquer maneira, você é livre para aprender do seu jeito, apenas considere que tudo no livro tem um porquê.

> Ajude a disseminar
> as mensagens deste
> livro nas redes sociais
> usando a *hashtag*
> **#menteminimalista**

QUESTÃO
Por que tantas pessoas sentem que sua vida está fora de equilíbrio?

REFLEXÃO
O que você já sabe sobre minimalismo?

AÇÃO
Separe dez minutos no fim de um dia desta semana e reflita sobre como está a sua qualidade de vida.

2
TRANSFORMAÇÃO MINIMALISTA

Simplicidade é fazer a viagem desta vida apenas com a bagagem suficiente.

CHARLES DUDLEY WARNER

Vamos começar a exercitar a mente. Sugiro que, antes de avançar com a leitura, você responda às duas perguntas abaixo.

Desafio minimalista nº 1: Propósito

O que é suficiente para você viver?

Qual o seu propósito de vida no minimalismo?

Não subestime o poder das perguntas!

O MODELO DE TRANSFORMAÇÃO MINIMALISTA

Toda mudança pessoal tem um custo, conhecido como o custo da transição.

Com a transformação minimalista não é diferente. Não se resume a um custo monetário, mas tudo que engloba a mudança, como o emocional, a gestão dos relacionamentos, a energia mental e o tempo. Existem dois grupos de variáveis na transformação minimalista que podem impulsionar a mudança:

- Alto desconforto com o estilo de vida atual;
- Alta atração pelos ganhos com o estilo de vida minimalista desejado.

O custo da transição só será baixo, ou seja, você passará pela transformação minimalista com mais facilidade, se o desconforto com o seu estilo de vida atual e a atratividade pelos ganhos forem altos. Se um desses fatores for baixo, o custo da transição entre a vida atual e a futura tende a ser maior.

Sugiro que faça uma pequena pausa neste momento e medite sobre o exercício abaixo. Lembre-se: as pausas revigoram o seu propósito.

Desafio minimalista nº 2:
No campo do imaginário

Deixe os principais medos de lado. Afinal, você está no campo do imaginário. Esvazie a sua mente de qualquer pensamento negativo e concentre-se no agora.

No campo do imaginário, onde você gostaria de estar nos próximos dois anos?
Desenhe um quadro mental, preencha-o de imagens, cores e sensações, colocando um detalhe de cada vez.

Como seria a sua casa?
Pode até ser a mesma casa, mas de um jeito diferente.
Com o que gostaria de estar trabalhando?
Quais pessoas estariam ao seu lado?
Como seria o seu estilo de vida?
Continue pelo menos cinco minutos no exercício
ou leve o tempo que for necessário.

Desapegue-se da parte da sua mente que resiste a novas ideias. Essa parte tende a resistir às mudanças que nos ameaçam, enviando sinais de que elas não são necessárias: mudar para quê? Dessa forma, ela influencia o nosso subconsciente e as nossas decisões. Por que ela faz isso? Porque está apegada demais ao conhecido e, mesmo que o conhecido seja ruim e cause dor, assim ela prefere, pois já se acostumou. Lidar com o desconhecido é trabalhoso e pode gerar, no mínimo, dois tipos de reações: medo e preguiça mental.

O instrumento mais poderoso para avançar com a mudança é o autoconhecimento. Precisamos estar conscientes do que queremos. A palavra "consciência" significa literalmente "aquilo com o que se conhece". Ou, ainda, "faculdade de conhecer".

Na sua jornada minimalista, existem duas coisas fundamentais que você precisa conhecer: a si mesmo e o que é minimalismo.

Estilo de vida diz respeito à nossa vida como um todo, é uma visão integrada do ser. O desequilíbrio, a desordem e a falência pessoal se dão quando partes do todo ficam disfuncionais, lutando contra a nossa natureza, produtividade e paz de espírito.

Repensar a vida é separar um tempo para visitar cada parte dela e medir seu grau de desconforto. É decidir dar um basta e assumir o controle da nossa qualidade de vida.

Contudo, quem se acostuma a manter a vida em desequilíbrio e desordem e não quer pagar o custo da transição poderá ter um prejuízo alto no futuro.

Não é profecia, mas quem planta desordem, excessos e desequilíbrio tende a colher desordem, excessos e desequilíbrio.

A seguir, há uma lista de geradores de desconforto. Talvez você sinta falta de algum. Tudo bem, reflita sobre outras possíveis dores, de tal modo que a sua vontade de mudar aumente.

Seja honesto nos apontamentos, respondendo ao grau de desconforto da sua vida neste momento. Não olhe muito para o passado e nem para o futuro. Não se trata de arrependimento ou ansiedade, mas sim de fazer uma análise dos resultados que está colhendo em função das escolhas que fez. Não é para idealizar, é para simplesmente tirar uma fotografia da situação atual. Se preferir, você pode criar um filme mental dos últimos meses.

GERADORES DE DESCONFORTO COM O ESTILO DE VIDA ATUAL

Vamos medir qual o grau de desconforto com o seu estilo de vida atual. Atribua uma nota de 1 a 5 para cada situação, sendo que: (1) Nenhum desconforto; (2) Baixo desconforto; (3) Desconforto razoável; (4) Muito desconforto; (5) Você não aguenta mais viver assim.

	GERADOR DE DESCONFORTO	NOTA	
1	Você sente que o seu estilo de vida prejudica a sua saúde.		
2	Você se importa demais com a opinião alheia, tentando manter a imagem de uma pessoa feliz e bem-sucedida o tempo todo.		
3	A sua vida financeira não está bem, você vive endividado e preocupado com os gastos. O assunto dinheiro, normalmente, te deixa de mau humor.		

4	Você vive com a sensação de que está desatualizado e ficando para trás.		
5	Você não se alimenta bem, vive comendo rápido e mal.		
6	Você sente-se culpado por não ficar mais tempo com a família.		
7	Faz tempo que não aprende algo novo que tenha feito a diferença na sua vida.		
8	Você não consegue praticar exercícios físicos e nem se dedicar aos seus hobbies.		
9	Você trabalha muito, mas vive com a sensação de que não sai do lugar. Não se sente realizado no trabalho.		
10	Você trabalha, mas todo o dinheiro que ganha é movido pelo medo, para garantir o padrão de vida que conquistou e o sustento da sua família.		
Total:			

Interprete

De 10 a 25: você está incomodado, mas prefere viver assim.

De 26 a 35: você está quase chegando ao limite, mas tem medo ou não sabe como mudar, então segue em frente.

De 36 a 50: comece a se preparar e mude o seu estilo de vida o quanto antes.

GANHOS DO ESTILO DE VIDA MINIMALISTA

Conforme o exercício anterior, atribua uma nota de 1 a 5. Porém, neste caso, será analisado o grau de atratividade para os ganhos possíveis ao adotar o estilo de vida minimalista.

	NÍVEL DE ATRATIVIDADE PELOS GANHOS	NOTA	
1	Desacelerar e entrar em ritmo natural e saudável.		
2	Curtir a vida, assumindo o controle do tempo para fazer as coisas que antes eram deixadas de lado.		
3	Substituir "não tenho tempo para nada" por "agora sim, comecei a viver".		
4	Substituir o mantra "preciso de mais espaço" por "preciso de menos coisas".		
5	Criar e manter uma casa organizada, com espaço para circular e respirar, e um ambiente agradável para curtir com a família e amigos.		
6	Reduzir o tempo que gasta no trânsito, na limpeza da casa, nas compras e nas tarefas desnecessárias para dedicar-se aos hobbies, às atividades físicas e às viagens.		
7	Aumentar sua capacidade de aprendizagem, crescendo em conhecimento e prosperando na carreira.		
8	Liberar espaço para a criatividade e tornar-se mais produtivo, fazendo literalmente mais com menos.		
9	Fazer as pazes com o dinheiro. Fim das dívidas e das parcelas infinitas. Encontrar o equilíbrio financeiro e prosperar.		
10	Dedicar menos tempo ao trabalho e, se for o caso, recomeçar em uma profissão mais significativa.		
Total:			

Interprete

De 10 a 25: você tem algumas razões para mudar.

De 26 a 35: você tem boas razões para mudar.

De 36 a 50: você tem fortes razões para começar a mudar imediatamente.

No meu caso, a maior motivação para o minimalismo foram os ganhos. Quando lia sobre o estilo de vida que os minimalistas tinham, inspirava-me a mudar. Quanto mais eu buscava informação sobre o que era minimalismo, mais sentido fazia. Quando percebi, estava envolvido com a mudança e ingressado em um caminho sem volta, pelo menos para mim.

Talvez, se você já tiver dado seus primeiros passos para o minimalismo ou for um minimalista experiente, conseguirá entender perfeitamente o que estou falando. O minimalismo é algo lógico, que quebra todas as nossas objeções frágeis que tentam resistir a ele.

Se você é novo no minimalismo, segue um alerta positivo: ao final deste livro, será muito difícil resistir à mudança do seu estilo de vida. Depois, comente.

> Use a imaginação para libertar-se do ego e do medo. De que vale a imaginação se usá-la como a carcereira da sua mente?
>
> **#menteminimalista**

QUESTÃO
Por que tantas pessoas sentem que a vida está fora de equilíbrio?

REFLEXÃO
Você foi atraído para o minimalismo pela circunstância ou pela consciência?

AÇÃO
Separe cinco minutos no fim de cada dia, durante esta semana, e reflita sobre o que você gostaria de mudar na sua vida.

3

ORIGENS DO MINIMALISMO

Fui para a floresta porque queria viver deliberadamente, enfrentar apenas os fatos essenciais da vida e ver se conseguia aprender o que ela tinha para ensinar, em vez de morrer e descobrir que não vivi.

HENRY DAVID THOREAU

Quando comecei a escrever este livro, tinha a intenção de apresentar ao leitor uma pesquisa robusta sobre as origens do minimalismo. Contudo, quanto mais buscava, mais pontos de vista e informações diferentes encontrava. No fim das contas, tive que recuar, ou transformaria a obra em uma dissertação de mestrado.

Calma, não joguei a toalha totalmente. Deixarei algumas pistas e caminhos para que, se você tiver interesse, possa seguir e se profundar.

Se você está procurando origens distantes do minimalismo, pode encontrar alguma relação sobre o que é renunciar aos bens materiais em algumas religiões, como no budismo e no cristianismo. No entanto, referem-se a escolhas que não traduzem o que entendemos hoje como estilo de vida minimalista.

Portanto, perguntas como "quem foi o primeiro minimalista?" são perda de tempo. Se você procurar no dicionário uma definição oficial sobre o que é minimalismo segundo a proposta deste livro, não encontrará, pois o termo em si, do jeito que entendemos, é algo muito recente.

O QUE APRENDI COM A PESQUISA SOBRE MINIMALISMO

- As definições encontradas sobre a origem do minimalismo estão mais associadas à arte, o que alguns chamam de *movimento artístico*. Essa é uma afirmação equivocada, espalhada e replicada na maioria dos sites e blogs sobre minimalismo. Muitos fazendo o famoso "CTRL+C" e "CTRL+V", usando a Wikipédia como referência.

- Não é possível afirmar quando surgiu ou quem falou pela primeira vez a palavra "minimalismo". Muito menos se ela tinha o mesmo sentido que estou colocando neste livro.

- Não é possível afirmar que os artistas tenham produzido algo com a intenção de receber o rótulo de arte minimalista como a concebemos hoje.

- Não é correto estabelecer uma ponte direta entre as obras desses artistas com a vertente estética do minimalismo que conhecemos atualmente.

- A vertente estética minimalista deu origem a uma nova indústria com diversos segmentos: decoração, roupas, móveis, casas, veículos, celulares, música, literatura, festas, entre outros. De alguma forma, se não tomarem cuidado, minimalistas descuidados continuarão sendo consumistas desse mercado. Ou seja, nada mudará, apenas a aparência. Por isso, defendo que minimalismo não é estética, vai muito além disso.

Seguem os principais pontos que selecionei sobre as origens do minimalismo:

Minimal art

Na arte, existem diversos nomes de artistas e pensadores que, mesmo espalhados e desconectados, contribuíram para o surgimento da ideia de minimalismo – ainda que sem associação direta ao que entendemos hoje sobre o assunto.

Como mencionei, não podemos afirmar que existiu um movimento artístico deliberado, mas sim iniciativas de produzir objetos de arte com características diferentes do expressionismo.

Entre diversas formas de se referir ao tipo de arte produzida principalmente nos anos 1950 e 1960, *minimal art* é a expressão que ficou. Alguns atribuem que dela surgiu a palavra "minimalismo", como veremos a seguir.

Para Batchelor,[1]

> há um problema com a *minimal art*: ela nunca existiu. Pelo menos, para a maioria dos artistas que são usualmente agrupados sob esse rótulo, ela foi, na melhor das hipóteses, sem sentido e, na pior, um termo frustrantemente enganoso.

O autor ainda revela que "outros nomes foram cunhados para esses novos trabalhos – incluindo *ABC art rejective art,* e *literalism* –, mas *minimal art* ou minimalismo foi o rótulo que pegou". Para concluir, Batchelor[2] reforça que "é bom lembrar que os próprios artistas nunca reconheceram esse agrupamento".

As principais influências do minimalismo têm origem nos Estados Unidos, na Europa e no Japão.

1 BATCHELOR, David. *Minimalismo. São Paulo: Cosac Naify,1999, p. 6.*

2 Ibid., p.13.

Estados Unidos

Dois nomes destacam-se nas décadas de 1950 e 1960 do século XX: Donald Judd e Richard Wollheim.

Segundo Batchelor,[3] Judd foi um artista plástico e pintava desde o começo dos anos 1950, além de ser crítico de arte de revistas.

Richard Wollheim era britânico, crítico e teórico de arte.

Judd detestava que chamassem o tipo de arte que produzia de minimalismo. Aliás, ele não aceitava que rotulassem sua obra com nenhum nome que reduzisse sua intenção. Para Judd, "minimalismo" era apenas um atalho preguiçoso, uma palavra inútil usada por escritores para oprimir artistas. No entanto, Judd ainda é visto como um minimalista e, provavelmente, o mais conhecido se os livros de história da arte forem alguma indicação, conforme cita Kyle Chayka, em seu artigo no site The Nation.[4]

A palavra "minimalismo", que perturbava Judd e outros artistas da época, surgiu a partir de um ensaio chamado "Minimal Art" publicado por Richard Wollheim na edição de janeiro de 1965 da **Art Magazine**. Com isso, historiadores da arte atribuíram a Wollheim a criação do termo "minimalismo".

Dempsey[5] diz que os artistas não gostavam dessa designação devido à implicação negativa de que seu trabalho era simplista e desprovido de "conteúdo artístico".

Contudo, segundo o artigo de Luciana Cruz,[6] a palavra "minimalismo" foi apresentada pela primeira vez como um termo de arte em 1937 por John Graham, um artista americano de origem russa. No entanto, o pioneiro a utilizar o vocábulo em

3 Ibid., p. 21.

4 CHAYKA, Kyle. A Short History of Minimalism. The Nation. 14 jan. 2020. Disponível em: ⟨https://www.thenation.com/article/archive/longing-for-less-excerpt/⟩. Acesso em: 14 abr. 2020.

5 DEMPSEY, Amy. Estilos, escolas & movimentos. São Paulo: Cosac & Naify, 2010, p. 236.

6 CRUZ, Luciana. Minimal Art. Knoow.net. 14 jan. 2019. Disponível em: ⟨https://knoow.net/arteseletras/literatura/minimal-art/⟩. Acesso em: 14 abr. 2020.

um artigo, em 1927, foi David Burliuk, que escreveu sobre o trabalho de John Graham.

Mesmo considerando que o minimalismo possa não ter surgido da forma direta que se procurou associar, a sua influência está por toda parte. Alguns representantes que realizaram seus trabalhos de forma individual, ou seja, sem configurar um movimento artístico, e que chamaram a atenção do mundo da arte entre 1963 e 1965, segundo Amy Dempsey[7], são: Donald Judd (1928-1994), Robert Morris (1931-2018), Dan Flavin (1933-1996) e Carl Andre (1935).

Japão

Sou um grande admirador da cultura japonesa, desde a questão estética até a filosofia de vida. Muito do que entendo como essência de simplicidade conheci através dessa cultura. Nunca estive no Japão e não poderia afirmar que conseguiremos identificar essa simplicidade em Tóquio, por exemplo.

Segundo Saito,[8] a ideia de simplicidade aparece em muitas filosofias, especialmente na zen. Os japoneses transferem essa filosofia para elementos estéticos e o design de seus edifícios.

Para Pawson,[9] os conceitos zen de simplicidade transmitem as ideias de liberdade e essência da vida, algo mais próximo das características do estilo de vida minimalista atual.

Europa

Em relação à Europa, selecionei três influências sobre a origem do minimalismo que encontrei no artigo "Minimalist Art Through the Ages",[10] publicado no site Invaluable, considerado pelo

---

7 DEMPSEY, op. cit.

8 SAITO, (inverno de 2007), A dimensão moral da estética japonesa, The Journal of Aesthetics and Art Criticism, vol.65, n.1. p. 85-97.

9 PAWSON, John. Minimum. Londres: Phaidon Press Limited, 1996, p. 7.

10 MINIMALIST ART TROUGH THE AGES. Invaluable. 24 abr. 2017. Disponível em: < https://www. invaluable.com/ blog/ minimalist-art-through-the-ages/ >. Acesso em: 14 abr. 2020.

próprio portal como o principal mercado on-line do mundo em obras de arte, antiguidades e coleções.

Rússia

O construtivismo russo é frequentemente creditado por influenciar o desenvolvimento da arte minimalista. A construção de uma escultura, e não mais sua composição, tornou-se o ponto focal. Esses artistas se preocupavam com os materiais e o potencial para a produção em massa. O construtivismo surgiu quando os bolcheviques chegaram ao poder em 1917 e o comunismo começou a florescer.

Alemanha

Bauhaus é a base de muitos movimentos de arte moderna ocorridos na Alemanha e continua influenciando até hoje a produção artística no mundo. Reconhecida como uma escola que buscou abandonar os princípios da arte tradicional, as inovações de design, com formas simplificadas, a racionalidade e a funcionalidade apresentadas influenciaram a vertente do minimalismo como arte.[11]

Holanda

De Stijl (ou "o estilo") foi um movimento holandês que contou com formas geométricas simplistas e cores primárias. Muito parecido com o estilo da Bauhaus, influenciou muitas formas de arte, incluindo arquitetura, tipografia e música. Afastou-se do excesso de *art déco* e procurou criar algo mais apropriado para a era moderna.

---

11 *Staatliches Bauhaus, comumente conhecido como Bauhaus, era uma escola de arte alemã que combinava artesanato e artes plásticas. O termo alemão Bauhaus significa, literalmente, "casa de construção". BAUHAUS. HiSoUR. Disponível em: ‹https://www.hisour.com/pt/bauhaus-308 21/ampl/›. Acesso em: 4 maio 2020.*

Estilo de vida minimalista

Como eu disse, a intenção não é abrir um debate científico-histórico sobre as origens do minimalismo. Portanto, caso este livro caia nas mãos de algum teórico, pesquisador ou artista plástico, entenda que a minha intenção é deixar um caminho para potenciais minimalistas percorrerem.

Quanto às origens da palavra "minimalismo", não é possível traçar uma relação direta com o que consideramos hoje o estilo de vida minimalista. Talvez o mais próximo a que podemos chegar seja a vertente estética influenciada pela arte, que se desdobrou para a arquitetura, o design de interiores e de produtos e a decoração minimalista.

Contudo, como gravei em um dos meus vídeos no canal Mente Minimalista, no YouTube:[12] minimalismo não é estética, porque em essência esse não é o eixo central da filosofia minimalista.

Estética diz respeito a gostos, preferências e tendências – e cada um tem o seu. A título de apoio, a vertente estética do minimalismo pode ajudar a repaginar a identidade de alguns minimalistas e, no aspecto funcional, contribuir para harmonizar e trazer praticidade. No entanto, nada disso define quem é ou não minimalista.

CONSIDERAÇÃO

Longe de encerrar o debate, deixo uma consideração sobre o sentido do minimalismo tratado neste livro: minimalismo é uma *ferramenta* para simplificar a vida de forma consciente, focando o essencial para ser feliz.

---

12 Disponível em: <https://www.youtube.com/channel/UCkX5nbYoT0kqBBvAOs5mdIA>.

Desafio minimalista nº 3:
Primeiro passo

Neste momento, talvez a ansiedade de começar a fazer algo prático tenha tomado conta de você. Muito bem, caso se sinta pronto, vamos à ação! Dê uma volta por sua casa e selecione dez itens pessoais que certamente estão de mais em sua vida, que estão na categoria de coisas popularmente conhecidas como "tralha", ou seja, não servem para você e para ninguém. São lixo!

Trata-se de um pequeno movimento de amostra do que vem pela frente neste livro. Contudo, deixo claro que "destralhar", apesar de fazer parte da transformação minimalista, ainda não é a ação mais importante.

Vamos lá, use estes critérios neste desafio: itens pessoais + você tem certeza de que não necessita deles.

> Para tirar o minimalismo da teoria, pratique.
> **#menteminimalista**

QUESTÃO
Como o padrão estético do minimalismo infuencia o seu estilo de vida?

REFLEXÃO
Quais decisões você já tomou que trouxeram melhorias para a sua qualidade de vida?

AÇÃO
Convide alguém para conversar sobre as origens do minimalismo.

4

DECIFRANDO
O MINIMALISMO

Todo excesso esconde uma falta.

DESCONHECIDO

A proposta do minimalismo é ter e usar o suficiente, livrando-nos do excesso que rouba a qualidade do nosso tempo e da nossa vida. O que é suficiente para viver? Cada um é quem sabe, pois o minimalismo não é um conjunto de regras que impõe o que cada um deve ter e em qual quantidade.

A ideia parece simples de entender. Contudo, com o crescimento do movimento minimalista como estilo de vida, muitas pessoas estão complicando a sua interpretação. E, se complica, significa que algo começou a dar errado e não é mais minimalismo.

Confesso que tenho travado algumas batalhas contra percepções equivocadas do que é ser minimalista. Essa foi uma das razões que me inspiraram a escrever este livro.

A ARROGÂNCIA

A arrogância disfarçada de sabedoria é uma das principais barreiras que levam alguns minimalistas a reduzirem o conceito à própria conveniência.

Alguns repetem a frase clichê centenas de vezes: "Minimalismo é viver com o suficiente". Mas será só isso?

Autossuficientes de entendimento, rejeitam a leitura e a aprendizagem, prestando um desserviço para quem busca uma genuína evolução.

A HUMILDADE

Acredito na aprendizagem ao longo da vida, criando uma versão melhor de nós mesmos.

Sou grato aos pioneiros minimalistas, pensadores, escritores e produtores de conteúdo que abriram caminho para nós.

Citarei alguns autores contemporâneos e clássicos que admiro e que hoje são as minhas referências de leitura e aprendizagem.

Minimalismo

Vamos iluminar a nossa conversa com alguns pensamentos:

"Minimalismo é a promoção intencional das coisas que valorizamos e a remoção de tudo que nos distrai delas."
(BECKER, 2019, p. 17)

"Minimalismo é saber viver com o que é verdadeiramente essencial, reduzindo o número de bens e retendo apenas o que é importante."
(SASAKI, 2017, p. 50)

"O minimalismo é uma ferramenta que usamos para viver uma vida significativa. Não há regras. Em vez disso, o minimalismo é simplesmente remover as coisas desnecessárias da sua vida para que você possa se concentrar no que é importante."
(MILLBURN; NICODEMUS, 2016, p. 25)

"Minimalismo é se livrar do desnecessário, para abrir espaço para o que lhe dá alegria. É uma remoção da desordem em todas as suas formas, deixando você com paz, liberdade e leveza."

(BABAUTA, 2019)

Francine Jay, autora do livro *Menos é mais*, não traz em sua obra uma definição direta sobre o que é minimalismo. Ela se propôs a escrever um guia prático que, aliás, é muito bom. Ela trata do minimalismo de ponta a ponta, com muitas dicas e provocações filosóficas. Separei um trecho do livro que, na minha visão, traduz bem a essência de sua mensagem:

"Com a vida minimalista, vem a libertação das dívidas, da bagunça e da correria. Cada coisa excessiva que você elimina da sua vida parece um peso tirado das suas costas. Você terá menos tarefas e menos compras a fazer, pagar, limpar, manter e cuidar. Além disso, quando não estiver buscando símbolos de status ou olhando para a grama do vizinho, você ganhará tempo e energia para atividades mais gratificantes, como brincar com seus filhos, participar da comunidade e ponderar sobre o sentido da vida."

(JAY, 2016, p. 211)

Essencialismo

As definições anteriores, apesar de mencionarem "coisas" e "bens", não se aplicam somente ao aspecto material. Elas também dizem respeito ao que fazemos com a nossa energia e com o nosso tempo. As ideias de Greg McKeown, em seu livro *Essencialismo*, ajudam-nos a entender melhor essas dimensões.

"Essencialismo é investir tempo e energia da forma mais sábia possível para dar a sua contribuição máxima fazendo apenas o essencial."

(MCKEOWN, 2015, p. 13)

O autor completa o raciocínio com alguns pressupostos:[1]

"O essencialismo não se trata de fazer mais;
trata-se de fazer as coisas certas."

"Também não é fazer menos, só por fazer menos."

"O caminho do essencialista segue um propósito,
não segue o fluxo."

"Ao investir em menos coisas, temos a experiência
satisfatória de alcançar um avanço significativo
no que mais importa."

McKeown conclui o conceito de essencialismo como

> uma abordagem disciplinada e sistemática para determinar onde está o ponto máximo de contribuição, de modo a tornar a execução algo que quase não se demanda esforço.

Vida simples

Segundo Duane Elgin, que não cita a palavra "minimalismo" uma vez sequer em seu livro:[2]

"Não importa como chamemos essa abordagem à vida, um movimento em geral, com vários nomes, está crescendo no mundo inteiro em três preocupações maiores: como viver de maneira sustentável na Terra, como viver em harmonia uns com os outros e como viver em comunhão com o universo."

Na abordagem riquíssima de Elgin, não basta falarmos de uma vida simples, precisamos conversar sobre o que é uma vida consciente.

1 MCKEOWN, 2015, p.14-15.
2 ELGIN, 2012, p. 42.

Simplicidade voluntária

Elgin define simplicidade voluntária como "uma opção de vida escolhida de maneira consciente, deliberada e intencional, fundamentada em uma qualidade de vida superior".[3] Elgin também derruba o estereótipo de que a simplicidade seja um estilo de vida alternativo para poucos escolhidos. O autor defende que é uma opção para todos, com responsabilidade maior para os países desenvolvidos. Segundo ele, simplicidade é simultaneamente uma escolha da pessoa, uma escolha da civilização e uma escolha da espécie.

Admiro muito esse livro, pois o autor faz o que tento fazer, isto é, estimular minimalistas principiantes a ampliarem a visão sobre esse conceito, entendendo que não basta usufruir de seus benefícios. Minimalismo para si mesmo não deixa de ser apenas mais uma camada de egoísmo, por mais que a atitude seja nobre ou curativa para a pessoa.

Humildemente, Elgin diz que não existe nenhuma virtude especial na expressão "simplicidade voluntária". Vários outros nomes poderiam ser dados a inovações na forma de viver.

Concordo com Elgin, tanto faz o nome – minimalismo, essencialismo, vida simples, simplicidade voluntária, o que importa é entender a essência da mensagem e agir com intencionalidade.

A MINHA VISÃO SOBRE MINIMALISMO

Boa parte das definições sobre minimalismo dos autores e praticantes que hoje são referências no tema baseia-se em três pressupostos. É fundamental entendê-los antes de apresentar minha definição.

---

3 Ibid., p. 31.

Pressuposto nº 1

A palavra "minimizar" significa reduzir, diminuir e minorar. Portanto, a mensagem central do minimalismo é dirigida para quem vive com excessos. E isso pode acontecer com qualquer um, independentemente da classe social e renda. Você provavelmente deve conhecer pessoas acumuladoras que possuem grande dificuldade de desapegar-se dos excessos. São garagens, armários de cozinha, guarda-roupas e quartinhos de bagunça lotados de coisas que não são usadas.

Pressuposto nº 2

Ser minimalista deve ser uma escolha consciente, não um impulso forçado por uma circunstância da vida. Minimalismo, por exemplo, não é um estilo de vida para quem quer economizar dinheiro. A economia é uma consequência da escolha de ter uma vida equilibrada, vivendo com o que é suficiente.

Pressuposto nº 3

Ninguém nasce minimalista, apesar de alguns pensamentos populares imaginarem o contrário. Ram Dass (doutor Richard Alpert) diz que no íntimo de um bebê estão todas as sementes latentes de desejos materiais, apenas esperando que a oportunidade se apresente para germinar.

Concluindo, minimalismo não é um estilo de vida direcionado apenas para quem vive com excessos, ele também é um convite para todos que, aparentemente, já levam uma vida simples, mas sem uma reflexão específica sobre o impacto da sua participação no mundo.

O ser humano não gosta de perder nada

Além dos pressupostos, existe um fator da psicologia social que defende que o ser humano não gosta de perder. Explica-se que a dor da perda é proporcionalmente maior do que a satisfação de um ganho. Com base nessa hipótese, entendo por que muitas pessoas resistem ao minimalismo. A forma como ele é disseminado ativa o sistema de defesa da mente com uma reação automática: "Se para ser minimalista eu preciso abrir mão das minhas coisas, eu prefiro não ser". Entende-se *abrir mão das minhas coisas* como *perder o que gastei para conquistar*. Em geral, o ser humano não está disposto a fazer isso sem antes compreender o real significado do minimalismo.

O problema que percebo é: como alcançar as pessoas que estão dispostas a conhecer o minimalismo? Este livro é uma das minhas opções para disseminar essa mensagem. E fico feliz que ele tenha te alcançado.

A MINHA DEFINIÇÃO DE MINIMALISMO

> Minimalismo é saber exercer o poder de escolha para criar uma vida simples e com significado.
> **#menteminimalista**

Percebam que, nessa definição, não inseri as palavras mais comuns utilizadas em livros e blogs sobre minimalismo: "remover", "excluir", "retirar", "reduzir", "eliminar" justamente para não ativar o sistema de defesa automático de não querer perder nada.

Para quem vive sobrecarregado de coisas e afazeres, é natural entender que, para reequilibrar a vida, o movimento será de *minimização*. Contudo, eu proponho uma abordagem diferente.

O que a maioria sugere – e eu também estou sugerindo no capítulo 8 – é que quem tem algo em excesso deve se livrar dos itens por meio de algumas técnicas. Todavia, em vez de canalizar energia naquilo que *sai*, foque aquilo que *fica*.

Quando estiver separando os itens que sairão, o propósito maior é definir o que ficará, item a item, e por qual razão.

Como resultado, manteremos na nossa vida somente o que dá algum significado a ela, ao mesmo tempo que a simplificamos.

O ato de minimizar é a ação de exercer o poder de escolha de forma consciente. Essa é a abordagem que defendo.

Acredito que, com ela, seja possível chegar ao mesmo objetivo com menos resistência e mais consciência.

OPÇÕES DE ESTILO DE VIDA

Entendo que podem existir infinitas maneiras de viver entre a polaridade minimalista e maximalista. Mas, para os fins deste livro, intencionalmente, apresento a seguir uma lista de opostos que, na minha visão, ajudam a elucidar a essência da mensagem que quero disseminar:

- Podemos escolher a simplicidade ou a complexidade;
- Podemos escolher a sobrecarga ou a leveza;
- Podemos escolher ser gratos pelo que temos ou infelizes pelo que não temos;
- Podemos escolher amar mais as pessoas ou as coisas;
- Podemos escolher o trabalho duro ou o trabalho inteligente;
- Podemos escolher pagar por mais espaço ou economizar com menos objetos;
- Podemos escolher viver para trabalhar ou trabalhar para viver;
- Podemos escolher ser escravos do tempo ou livres para escolher o que fazer com ele;
- Podemos escolher justificativas para não mudar ou dar o primeiro passo para a mudança;
- Podemos escolher ser minimalistas ou maximalistas.

Talvez, para essa última situação, você me pergunte se não existe um caminho do meio. Como falei no início, sim. Mas você é quem decide qual é e como quer vivê-lo.

Alguns talvez sejam "medialistas" (essa palavra não existe), ou seja, nem lá, nem cá. Tudo bem, desde que seja com consciência, cada um exerce o seu poder de escolha e assume as responsabilidades. Essencialmente, minimalismo é uma escolha de vida. Você decide!

APEGO AO MINIMALISMO: UM ALERTA!

Neste momento, faço uma pausa para dizer o quão precioso é o hábito da leitura. Não sei para você, mas para mim ocorre um estalo atrás do outro quando o meu pensamento vai ao encontro do pensamento do autor, que tem a habilidade de dizer o que ainda não dissemos ou entendemos.

Corroborando com Elgin, deixo um alerta aos colegas minimalistas: não endeusem o minimalismo! Cuidado com frases emotivas, pois elas podem ter um efeito psicológico e se tornar verdades na vida de muitas pessoas. Exemplos:

"O minimalismo me salvou."

"Eu não era nada antes do minimalismo."

"O minimalismo mudou a minha vida."

"Hoje, sem o minimalismo, não sei o que seria de mim."

"Minimalismo é tudo, tornei-me outra pessoa por sua causa."

Compreendo que, muitas vezes, para algumas pessoas, as frases anteriores ilustram uma força de expressão e servem de âncora, mas, em outras, não. As palavras têm poder e podem sugerir algo. Portanto, cuidado com a dependência e o fundamentalismo. Não foi o minimalismo que o transformou. Foi você mesmo quem se transformou a partir das escolhas que fez. O minimalismo não é uma entidade, no máximo é uma filosofia de vida e, essencialmente, uma ferramenta.

Sugiro minimizar, reduzir e simplificar a relação com o minimalismo para não criar uma camisa de força para si mesmo. Mais do que todas as ideias que você possa ter sobre minimalismo, nunca se esqueça da principal: liberdade!

Sutilmente, pode surgir um contrassenso nesse tipo de comportamento: o de praticar o desapego em várias áreas da vida e não perceber o quão apegado está ficando em relação ao minimalismo. Enfim, a sua essência e identidade são bem maiores que o minimalismo, não se esqueça disso.

Conheço alguns minimalistas que se perderam por causa dessa atitude. Acabaram se isolando, restringindo o convívio social e empobrecendo espiritual e financeiramente. O fanatismo e os estereótipos fantasiosos os levaram a perder a conexão com a realidade e o pensamento crítico. Tornaram-se reféns daquilo que deveria libertá-los.

> Minimalismo é um exercício consciente de partipação no mundo.
> **#menteminimalista**

QUESTÃO
Qual passagem deste capítulo mais contribuiu para a sua transformação minimalista?

REFLEXÃO
Quais os principais cuidados que você terá daqui em diante ao conversar sobre minimalismo?

AÇÃO
Convide alguém para conversar sobre minimalismo e apresente um resumo deste capítulo.

5

MITOS DO MINIMALISMO

Ser rico é ter abundância naquilo que é importante para você.

DESCONHECIDO

O objetivo deste capítulo é prepará-lo para a ação, corrigindo mitos e ampliando a sua visão sobre o que não é minimalismo.

Ação sem reflexão pode gerar arrependimento, erros desmedidos e retrabalho. Vamos investir mais alguns minutos em conhecimento, para que cada decisão seja lúcida e toda ação seja efetiva.

COMEÇAR CERTO

Ao começar da maneira correta, você ganha velocidade e alcança mais rápido os ganhos do minimalismo.

Uma das maneiras de começar certo é limpar a mente das confusões e mitos que cercam o minimalismo. E estes são os principais a meu ver:

MITO nº 1
Minimalismo
não é circunstância de vida

Todas as dores que listamos anteriormente são possíveis circunstâncias que levam alguém a começar no minimalismo. Porém, como mencionei no capítulo 1, o estilo de vida minimalista não se baseia e nem se sustenta nas circunstâncias.

As dores são os gatilhos para impulsionar a decisão. De certa forma, tomamos a decisão sob pressão. Podemos fazer uma analogia com a dor física. Enquanto a dor não está incomodando muito, convivemos com ela e realizamos ações paliativas para saná-las. Somente quando a dor fica insuportável é que procuramos por ajuda. E, dependendo de quanto tempo nós procrastinamos essa procura, às vezes a solução necessária é uma cirurgia e/ou tratamentos intensos.

Todavia, se o paciente não atentar em como o estilo de vida que está levando contribuiu para a gravidade da doença e não decidir mudar, passada a cirurgia e o alívio das dores com o uso da medicação, ele voltará ao estilo de vida que tinha antes.

Em outras palavras, a circunstância o levou a buscar ajuda sob pressão, mas, após o problema resolvido, ele continuará a viver como no passado.

Não, definitivamente essa não é a melhor maneira de começar no minimalismo. Toda circunstância pode ser nobre e necessária, mas a decisão de ingressar no minimalismo deve ser voluntária e consciente.

Não é um erro chegar ao minimalismo por uma circunstância. Aliás, muitos chegam assim, depois permanecem e evoluem. Insensato é voltar ao estilo de vida anterior ou viver um minimalismo morno por falta de interesse e reflexão.

Por que eu chamo as circunstâncias de mito? Porque ouço muitos minimalistas principiantes dizendo: "O minimalismo me salvou, eu estava quebrado financeiramente e consegui me reequilibrar".

Absolutamente, o minimalismo não fez isso. Quem fez isso foi a própria pessoa, mudando os hábitos de consumo e de indisciplina financeira. O minimalismo foi apenas uma ferramenta.

A pergunta essencial é: a mudança foi consciente e sustentável? Infelizmente, assim como na metáfora da dor física, no minimalismo isso também acontece. Após estancar a dor, alguns correm o risco de voltar ao estilo de vida anterior, ou seja, a consciência não mudou.

MITO nº 2
Minimalismo
não é destralhe

Vamos fazer um ajuste conceitual extremamente necessário. O "extremamente" não é um exagero.

"Destralhar" é uma expressão que caiu no vocabulário popular e no gosto do mundo minimalista. Deixe-me explicar por que pode ser um equívoco usar essa expressão. Depois disso, você pode continuar utilizando-a se quiser, mas sabendo claramente qual o sentido verdadeiro dela.

"Destralhar" significa livrar-se das tralhas, ou seja, do que é inútil e sem valor, libertando o espaço do desnecessário.

"Destralhar" vem de "tralha", que, conforme explica Francine Jay,[1]

> é tudo o que for claramente lixo, como embalagens de alimentos, roupas manchadas ou rasgadas, cosméticos e remédios fora da validade, comida estragada, canetas que não funcionam, calendários, panfletos velhos e objetos quebrados que não têm conserto.

Incluo nessa lista cabos, eletrônicos, controles remotos, apostilas, documentos liberados para descarte segundo a legislação. Enfim, tudo o que você não tiver dúvida de que seja lixo. É claro, descarte tudo isso com responsabilidade e envie para a reciclagem o que for possível.

Farei três perguntas, e você entenderá agora por que a palavra "destralhe" no minimalismo pode ser um equívoco:

---

1 JAY, 2016, p. 57.

- Na maioria das fotos que você viu em alguma revista ou site sobre destralhe, tudo era lixo?
- Os itens que serão doados são lixo?
- Os itens que serão vendidos são lixo?

Creio que já tenha dado para entender.

Então qual seria a palavra adequada a ser utilizada?

Você pode escolher três: "minimizar", "reduzir" ou "desapegar". Ao pé da letra, desapegar é muito mais difícil do que destralhar. Apesar de sabermos que algumas pessoas podem ser apegadas inclusive ao lixo.

O DESAPEGO

No desapego, abriremos mão não apenas de coisas desnecessárias, mas, principalmente, de coisas a que somos apegados por alguma razão, seja de caráter emocional, seja funcional ou financeiro. Desapegar é muito mais desafiador do que simplesmente destralhar.

Outro ponto de vista é que mesmo quando separamos o que é desnecessário para nós, isso ainda pode ser útil para outra pessoa, ou seja, não é necessariamente uma tralha.

A meu ver, existem dois fatores que mais causam resistência ao desapego. São eles:

- **Somos o que temos**: esse fator reflete o grau de identificação e de vínculo emocional que temos pelas coisas, ou seja, quando a nossa identidade está sustentada nelas.
- **Nunca queremos perder nada:** esse fator representa a sensação de perda gerada quando abrimos mão de algo. Toda perda é uma dor que queremos evitar, causando um bloqueio em nossa mente.

Com a ansiedade de começar a fazer algo prático, normalmente a maioria dos minimalistas iniciantes começa pelo destralhe.

Não é de todo errado sentir vontade de pôr a mão na massa. Todavia, fazer algo sem reflexão pode gerar algumas perdas e arrependimentos e, mais do que isso, solidificar o mito que, ao fazer o destralhe, está praticando o minimalismo. Não, ainda não está. Sabe por quê? Porque a porta mais importante não é a de saída, e sim a de entrada. É ela que devemos vigiar.

Ao destralhar ou desapegar, como diz a minha amiga minimalista de Lisboa, Paula Matias: "Comece por algo visível e que seja fácil para você". Não comece pelo mais difícil, pois as pequenas vitórias são importantes em um processo de mudança.

Alerta!

Tem gente que destralha, mas continua no consumismo, esse é o ponto. Gravei um vídeo no YouTube, no meu canal Mente Minimalista, com o título "Minimalismo não é substituição".[2] Vou compartilhar dois comentários que selecionei para exemplificar esse mito:

Comentário nº 1:
Elisa Melomo

"Eu me considerava minimalista, mas o que eu fazia era substituição. Percebi que gastava todo o meu dinheiro comprando e destralhando, comprando e doando. Há um ano, estou tentando entender o que é ser minimalista. Seu conteúdo tem me ajudado muito. Obrigada."

Comentário nº 2:
Marinalva Azambuja

"Acredito muito em destralhe planejado, porque muitas vezes destralhamos o que vamos ter que comprar mais tarde. Por exemplo, roupas de cama e banho. Não é necessário ter somente o que se

---

2 Assista aqui: ⟨https://www.youtube.com/watch?v=htqeqGycPFY⟩.

usa. O que você já tem, mantenha, pois se desfazer do restante pode gerar consumo no futuro."

Antes de substituir, primeiro temos que minimizar e reduzir até encontrar o nosso inventário minimalista ideal.

A lógica "toda vez que entra um, sai o outro" está equivocada. Inverta a lógica para: "Antes de sair qualquer item, preciso avaliar se essa atitude gerará uma nova compra e se realmente é necessária". Assim, evitará erros comuns de um destralhe impulsivo.

Deixe-me dar um exemplo pessoal da minha transformação minimalista.

O meu
primeiro destralhe

Quando conheci o minimalismo e fiz o meu primeiro destralhe, dividi os itens em três categorias. Joguei todas, exatamente todas as minhas roupas na cama, menos a que estava vestindo, e comecei a separá-las em três montes. As que eu tinha certeza de que ficariam, as que tinha certeza de que iriam embora e o monte maior, o monte das dúvidas.

Não foi fácil. Você já jogou aquela brincadeira de baralho conhecida aqui no Brasil como "rouba-monte"? Fiquei nisso por algumas horas, tentando equilibrar os montes. Por fim, finalizei o inventário minimalista e separei o que ia embora. Quanto ao monte das dúvidas decidi guardar em uma caixa e tirar do meu campo de visão por três meses. Pensei que, com o tempo, esqueceria essas coisas, para que no futuro facilitasse a doação. Pronto, tudo feito, vida que segue.

Os erros que cometi no
meu primeiro destralhe

Mesmo com um destralhe feito com um método pessoal e até um tanto organizado, cometi alguns erros. O principal foi usar o destralhe como desculpa para comprar roupas novas. Além disso, vários itens que estavam na caixa da dúvida voltaram para o guarda-roupa, pois eu ainda tinha muito apego a algumas peças. Resumindo, depois de muito trabalho e alguns meses, o guarda-roupa continuava do mesmo jeito. Aconteceu que gastei mais e ganhei aquela satisfação temporária de quando se compram roupas novas.

Dois alertas sobre destralhe

Alerta nº 1:
Não confunda doação com empurrar o problema para o outro

É isso que percebo quando as pessoas não aguentam mais olhar para um item da casa e anunciam que estão doando. Na verdade, a pessoa não quer doar algo para ajudar alguém, não tem solidariedade nesse gesto. O que ela quer mesmo é se livrar daquele item, seja roupa, seja móvel, eletrodoméstico ou eletroeletrônico. Isso porque não aguenta mais olhar para a "cara dele".

Portanto, isso não é doação, isso é empurrar o problema para a frente. E alguns ainda dizem: "Estou doando, se quiser, venha pegar. Mas venha logo, antes que outro pegue", ou seja, coloca pressão para retirar a doação. Cuidado, isso não é ético e nem respeitoso.

Alerta nº 2:
Deixe de ser lixeiro e passe a ser o porteiro da sua vida

Sabe aquela pessoa que nós chamamos popularmente de lixeiro? Esse é um dos principais crimes inconscientes de discriminação social. Inconsciente porque a maioria não faz por mal, mas nem por isso deixa de ser desrespeitoso com o profissional. Na verdade, ele não é o lixeiro, o lixeiro somos nós. Ele é o coletor dos nossos lixos. Isso mesmo, quem merece ser chamado de lixeiro somos nós, porque produzimos através das compras e do nosso estilo de vida. Já parou para pensar o quanto de lixo você descartou no mundo?

É muito comum olharmos somente para dois tipos de lixo doméstico: o orgânico e as embalagens. Sim, eles provavelmente ocupam o maior percentual de lixo que produzimos ao longo da vida.

Vamos lembrar que é considerado lixo qualquer material que não tenha mais utilidade, que seja supérfluo e que não tenha valor. E qualquer objeto cujo proprietário deseje eliminar. Enfim, tudo o que o homem produz perde a utilidade e é descartado.

Muitos reduzem a visão do que é lixo considerando somente os domésticos e pessoais. Porém, vale lembrar que roupa velha, sapato velho, móvel velho, pilhas, baterias, objetos de decoração, remédios vencidos, alimentos vencidos, objetos estragados, louças e aparelhos quebrados são lixo. Nós compramos, usamos e descartamos.

O que é consumo consciente? É refletir sobre tudo isso e pensar de maneira racional e menos emocional antes de comprar, considerando se o ciclo que trouxe aquele produto até nós é sustentável, pensando sobre a durabilidade e aplicação do produto em nossas vidas e em como faremos o descarte quando for necessário.

O minimalismo não é contra o consumo. Uma de suas batalhas é contra o consumismo, mas não só isso.

O verbo "consumir" remete à ideia de destruir. Assim como o fogo consome algum material e o destrói, tudo o que consumimos se refere a algum tipo de destruição, pois todo o processo de transformação de um produto é um ciclo de destruição e criação.

Por essa perspectiva, considerando que a própria natureza tem esse processo de destruição e criação, nós, como integrantes dela, seguimos o mesmo fluxo. Entretanto, deveria ser um fluxo natural e sustentável, mas sabemos que não é. Pois, enquanto crescemos como um tipo de espécie, extinguimos outras e consumimos em quantidade e velocidade muito maior que a capacidade de renovação dos recursos naturais. Além disso, o mais agravante é que alguns recursos são finitos.

Enfim, mais importante do que ser lixeiro, destralhando o lixo que produzimos, é assumir o papel de porteiro consciente, fechando a porta para tudo aquilo que não precisamos e que, um dia, se tornará lixo. Depois de porteiro, o próximo papel é o de zelador, cuidando do que temos para dar vida longa aos nossos pertences, e, quando chegar a hora, que o destralhe seja feito de forma responsável.

MITO nº 3
Minimalismo não é privação ou sacrifício

Alguns acham que o estilo minimalista leva a uma vida de privação e sacrifício, abrindo mão dos prazeres da vida. Ledo engano, esse talvez seja um dos mitos mais populares.

O livro que melhor exemplifica essa distorção é o *Simplicidade voluntária*, de Duane Elgin. Adaptarei alguns trechos dessa obra para clarear pontos essenciais.

Minimalismo não é sacrifício

O minimalismo é uma opção de vida consciente, deliberada e intencional que fundamenta uma qualidade de vida. Eis algumas razões por que algumas pessoas escolhem o minimalismo:

- Ele nos mostra o que realmente importa na vida – a qualidade do nosso relacionamento com a família, os amigos, a comunidade e a natureza;
- Elimina o excesso inútil de trabalho, a confusão e a complexidade;
- Enseja satisfação duradoura, que compensa bastante os prazeres fugazes do consumismo;
- Estimula uma autodescoberta saudável e uma abordagem integrada da vida;
- Aumenta os recursos disponíveis para as futuras gerações.

Vida de sacrifício é:

- Um modo de vida consumista com excesso de pressão, de compromissos e de trabalho;
- Afastar-se da família e da comunidade para "ganhar a vida";
- Submeter-se à pressão e percorrer longas distâncias em um trânsito congestionado;
- Carregar no corpo mais de duzentos produtos químicos tóxicos, produzindo um efeito cascata para as gerações futuras;
- Sentir-se fragmentado entre as diferentes partes da vida, sem saber como elas funcionam juntas, em um todo coerente.

MITO nº 4
Minimalismo não diz respeito a uma condição social

Um dos fatores mais comuns é associar o minimalismo ao voto de pobreza ou afirmar que somente ricos podem ser minimalistas, como o exemplo clássico de Steve Jobs.

Pessoas sem embasamento teórico costumam olhar para esses dois extremos. Alguns associam uma vida simples à pobreza, como se fosse faltar algo de essencial na vida de um minimalista.

Entendem que a pessoa ficou maluca por ter trabalhado tanto para conquistar um padrão de vida e que, de uma hora para outra, decidiu abrir mão desse padrão ou estilo de vida.

Não entendem que quando os valores mudam, a vida muda. A busca pela paz de espírito e pelo bem-estar sobrepõe as satisfações momentâneas de uma vida consumista e, na maioria das vezes, prejudicial à saúde, à sociedade e ao planeta.

Entre as confusões, a mais comum é quando alguém diz que sempre foi minimalista porque teve que aprender a sobreviver com pouco.

Dizem assim: "Então, é isso que é minimalismo? Se for assim, sempre fui minimalista, pois sempre tentei levar uma vida simples, me virando com o que tinha".

Trata-se de uma visão precipitada em relação ao minimalismo, pois ser minimalista não diz respeito às circunstâncias da vida. Se a pessoa nasceu em um lar com privações porque não tinha condições de ter algo melhor e atender às suas necessidades básicas, e até sofreu por não ter um tênis, um vestido ou qualquer produto ou serviço, isso não a transforma automaticamente em um minimalista. Absolutamente!

Pessoas leem fragmentos de textos e se autodenominam minimalistas sem compreenderem de fato o que estão falando, como "sempre fui minimalista e não sabia".

Mito, isso é falso. A pessoa nunca foi minimalista, ela apenas aprendeu a se virar com o que tinha. Sou taxativo nesse exemplo porque poderia me enquadrar nele. Minha origem foi humilde e tive que batalhar muito para melhorar a minha condição socioeconômica. Contudo, nem sabia que existia o minimalismo e, hoje, não posso olhar para trás e dizer que a minha vida de privações foi minimalista.

O GRANDE TESTE

O grande teste é: deposite uma boa quantia na conta corrente de uma pessoa que se diz minimalista por ter vivido ou por viver assim e veja como ela lida com o dinheiro. Quais escolhas fará?

Após três meses, dê este livro de presente e a chame para conversar. É claro que esse teste é apenas um exercício mental.

Você pode também imaginar uma pessoa que se diz minimalista ganhando algum prêmio de loteria ou aumentos progressivos de salário. O resultado das decisões de compra e do estilo de vida que será adotado fornecerá informações se essa pessoa realmente era uma minimalista inconsciente.

Somente com conhecimento, decisão consciente e voluntária e um tempo de prática alguém pode se autodenomimar minimalista, porque isso dependerá do grau de maturidade e dos desafios que a pessoa enfrentará. Para alguns, infelizmente, minimalismo não é um compromisso, é uma empolgação. E a empolgação passa.

> Para ser livre, livre-se!
> Livre-se principalmente
> de estereótipos
> fantasiosos sobre o que é
> minimalismo e uma vida
> simples.
> **#menteminimalista**

QUESTÃO
Qual passagem deste capítulo mais contribuiu para a sua transformação minimalista?

REFLEXÃO
De qual mito você ainda precisa se libertar?

AÇÃO
Faça um detox digital.
Desative todas as notificações do seu celular.
Desinstale todos os aplicativos que você não está usando.
Almoce sem o celular. Esteja 100% presente em cada refeição.

6

DECIFRANDO O SIGNIFICADO DE "MENOS É MAIS"

O objetivo de uma vida simples não é dogmaticamente viver com menos, mas viver com equilíbrio, a fim de levar uma vida repleta de objetivos, realizações e satisfações.

DUANE ELGIN

A ORIGEM DA EXPRESSÃO "MENOS É MAIS"

A criação da expressão "menos é mais" é atribuída ao arquiteto alemão, naturalizado americano, Ludwig Mies van der Rohe. Ludwig foi professor da Bauhaus e um dos criadores do que ficou conhecido por *international style*. Deixou a marca de uma arquitetura que prima pelo racionalismo, pela utilização de uma geometria clara e pela sofisticação.

Segundo Dempsey,[1]

> embora, formalmente falando, não exista uma escola minimalista de arquitetura, inúmeros arquitetos modernistas procuraram rigor e pureza em seus projetos que, até certo ponto, podem ser denominados minimalistas. Neste sentido, o estilo austero de Ludwig Mies van der Rohe pode ser classificado como minimalista.

"MENOS É MAIS" NA DIMENSÃO ESPAÇO

A expressão "menos é mais" aplica-se, essencialmente, a duas dimensões básicas: espaço e tempo.

Existem maneiras distintas de pensar em relação a essas dimensões: a da mente maximalista e a da mente minimalista.

1) Mente maximalista

A lógica de quem segue por esse caminho é: "Preciso de mais espaço". Portanto, vamos comprar mais espaço, o que sugere algumas alternativas:

- Mudar para casas ou apartamentos maiores;
- Para quem pode e tem área disponível, construir novos cômodos;
- Contratar o serviço de *self storage*, que significa a locação de um *box* para guardar as coisas que não cabem em casa. O *box* também é locado para situações temporárias, como a reforma de um apartamento, por exemplo.

O mercado de *self storage* é uma realidade nos Estados Unidos e na Europa e uma tendência no Brasil.

---

1 DEMPSEY, 2010, p. 239.

Acessei o site[2] de uma empresa, entre dezenas do setor, que encontrei em uma pesquisa e selecionei alguns trechos que justificam o serviço:

O *self storage* é a solução ideal para o problema de armazenamento que muitas famílias enfrentam. Temos cada vez *menos espaço* para guardar diversos itens em nossas casas. Por isso, armazená-los em um *self storage é muito melhor do que se desfazer deles.*

Os valores são mais acessíveis. *Alugar qualquer espaço* pode significar muita dor de cabeça e burocracia. Porém, com o *self storage*, é possível encontrar uma solução simples de armazenamento e, principalmente, *que caiba no seu bolso.*

Com um *self storage*, é possível *armazenar tudo o que você precisa:* guardar móveis, volumes, documentos etc.

Espaço de armazenamento de acordo com as suas necessidades. Em um *self storage*, é possível encontrar *boxes dos mais diversos tamanhos*, o que faz com que o local seja adequado para guardar itens menores, como documentos, ou mais volumosos, como é o *caso dos móveis.*

Para um autêntico minimalista, esses excertos assemelham-se a uma trágica comédia. Difícil de acreditar? Mas é uma realidade.

Segundo informações da Associação Brasileira de Self Storage (Abrass),[3] as empresas de *self storage* têm se espalhado pelo Brasil com mais de 300% de crescimento no setor, entre 2013 e 2017.

A explicação é simples: o setor só cresce porque tem demanda. Um dado importante é que cerca de 40% dos boxes são alugados em períodos sazonais como estoques temporários. Contudo, 60% é utilizado por pessoas dos mais variados tipos.

---

2 GUARDEMAIS. Self storage. Disponível em: ‹ https://guardemais.com.br/qual-o-preco-de-um-guarda-moveis-em-sao-paulo/ ›. Acesso em: 4 maio 2020.

3 POR QUE É O MOMENTO DE INVESTIR EM SELF STORAGE NO BRASIL? Wistor. 5 jun. 2019. Disponível em: ‹ https://wistor.com.br/ blog/ por-que-e-o-momento-de-investir-em-self-storage-no-brasil/ ›. Acesso em: 14 abr. 2020.

Enfim, acredito que boa parte delas é guiada pelo pensamento maximalista e foi fisgada pelos argumentos de vendas que exemplifiquei anteriormente.

Quem passou por isso entenderá. Quando mudamos para um imóvel maior, antes de enchê-lo de coisas, valorizamos a nossa decisão dizendo o seguinte: "Agora, sim, teremos espaço para guardar as nossas coisas. Eu já estava me sentindo sufocado onde morávamos".

Quanto tempo dura, para uma pessoa maximalista, essa sensação de ganhar mais espaço? Normalmente, pouco. Gradativamente, "sem perceber", o espaço que era grande passa a ficar abarrotado.

Maximalistas são acumuladores natos. Acumular, para essas pessoas, é um hábito ou, dependendo do caso, um vício. Por que isso acontece? Porque quem pensa dessa forma valoriza muito mais os bens materiais do que o espaço. Esses indivíduos são realmente apegados às coisas, mesmo àquelas que nem usam mais.

2) Mente minimalista

Na direção contrária à lógica maximalista, quem adere ao estilo de vida minimalista começa a virar esse jogo em relação aos bens materiais. Em vez de comprar espaço, um minimalista remove o excesso para ganhar espaço. Simples assim.

Racionalmente é simples, mas, emocionalmente, para minimalistas iniciantes, pode ser um grande desafio.

Segundo Francine Jay, no livro *Menos é mais*:[4] "O que precisamos ter em mente é que a quantidade de coisas que conseguimos possuir é limitada pela quantidade de espaço em que podemos guardá-las. É pura física".

O espaço não aumenta proporcionalmente ao volume de coisas que colocamos dentro dele. Contudo, alguns esquecem ou ignoram essa verdade e começam a usar estratégias maximalistas que desafiam a física: enfiar, apertar, empurrar ou puxar, empilhar, encaixotar, compactar, espremer, socar. Identificou-se?

---

4 JAY, 2016, p. 39.

Além das estratégias citadas, existe outra, muito comum no Brasil. Solteiros ou casados, saímos da casa dos nossos pais, mas ainda continuamos usando-a para guardar as nossas coisas. Muitos nunca cortam os laços físicos com seus objetos. Uma casa abarrotada de coisas revela muito do que as pessoas valorizam. O que elas não percebem é que o excesso pode estar, no fundo, escondendo o vazio que elas têm por dentro. O que o excesso de coisas traz para dentro de nós? Estresse, preocupação, custo de manutenção, distração, falta de priorização, perda de tempo e uma sensação contínua, consciente ou não, de que estamos sendo espremidos.

Fica difícil para quem vive assim dizer o que é mais importante em sua vida, porque, quando se dá espaço para tudo, tudo se torna supostamente importante.

Minimalismo é um exercício de priorização. Para quem está com excesso, o exercício é o de priorizar o que fica e desapegar-se daquilo que não é essencial. É o que chamo de priorização invertida.

Se fôssemos minimalistas maduros e mudássemos para um espaço vazio, o exercício de priorização seria escolher o que realmente é essencial para entrar no espaço. Na priorização invertida, priorizamos o que vai ficar no espaço.

No fim das contas, fisicamente, seria a mesma coisa. Contudo, o exercício de tirar algo do espaço gera no ser humano uma sensação inicial de perda. Por isso, o desapego é muito difícil.

Sugiro sempre desapegar primeiro das coisas mais fáceis até que o comportamento vire um hábito para que, aos poucos, a sensação de perda se transforme em alívio.

Aquele mágico momento de quando concluímos o primeiro destralhe, sentamos aliviados em algum canto da casa, respiramos fundo e dizemos: "Agora sim, espaço!".

Quando isso acontece, segundo Becker,[5] "você entenderá o valor do minimalismo, pois, neste momento, ele é capaz de declarar visivelmente o que é importante para você".

---

5 BECKER, 2019, p. 60.

Francine Jay traduz de maneira muito simples as distorções entre uma mente maximalista e uma mente minimalista quando diz:

> A maioria das pessoas ouve a palavra **minimalismo** e pensa em **vazio**. Infelizmente, o vazio não é muito interessante, costuma estar associado a perda, privação e escassez. Mas olhe para o vazio de um outro ângulo – pense no que ele é, em vez do que ele não é, e você verá **espaço**. Está aí algo que faria bem para todos! Espaço no guarda-roupa, na garagem, na agenda, espaço para pensar, se divertir, criar e curtir a família. (JAY, 2016, p. 7)

> Uma mente maximalista, quando remove as coisas, vê vazio, enquanto uma mente minimalista, ao fazer isso, vê espaço.
>
> **#menteminimalista**

"MENOS É MAIS" NA DIMENSÃO TEMPO

Ao reduzir as coisas, além de ganharmos espaço, supostamente ganharemos tempo livre, porque teremos menos itens para nos preocupar com limpeza, manutenção, arrumação etc. O ideal seria que preenchêssemos esse tempo livre com atividades que nos proporcionam maior satisfação, aprendizagem e crescimento pessoal.

Contudo, nem sempre uma coisa gera a outra. Ocupar-se com atividades rotineiras e sem valor pode também ser um vício. Alguns, sem saber como preencher o tempo conquistado, começam a planejar uma série de atividades para se sentirem ocupados.

CHRONOS
E KAIRÓS

A antiga Grécia tinha duas palavras para definir tempo. *Chronos* representa o deus do tempo físico, medido por horas, minutos, dias etc. Daí vem a palavra "cronologia", que significa "estudo do tempo", ou seja, a forma com que medimos historicamente a sequência dos fatos. E *Kairós*, filho mais novo de Zeus com Tite, a deusa da sorte e da fortuna. Kairós representa os acontecimentos sem hora marcada, as surpresas do dia a dia. O tempo de Kairós nos convida a aproveitar a vida com mais leveza, de forma mais despojada, sem se importar com o implacável Chronos.

Chronos é quantitativo, enquanto Kairós é qualitativo. Para McKeown, só se vivencia este último quando estamos inteiros no momento presente – quando existimos no agora.

A meu ver, não se importar com Chronos é não se sentir culpado por ter tempo livre.

Parte é herança educacional. Qual filho nunca foi cobrado por não estar fazendo nada? Não fazer nada tornava-se uma obrigação para fazer alguma coisa. Terminando o dever da escola, começa o dever de casa. E, com essa crença, crescemos mantendo a nossa agenda e a nossa mente sempre ocupadas. Pois, assim, carregamos a herança neural de que somos seres responsáveis

Você já ouviu a expressão: "Quem trabalha muito não tem tempo para ganhar dinheiro"? De onde será que veio essa ideia?

Se estudarmos com cuidado a diferença entre Chronos e Kairós, veremos que Tite, mãe de Kairós, representa sorte e fortuna, que ilustra aquilo que não pode ser previsto: uma oportunidade.

Quem está com a agenda e a mente lotadas tem menor chance de identificar uma oportunidade e, quando a enxerga, muitas vezes não tem tempo para aproveitá-la.

Percebo um grande desafio para a humanidade: aprender a equilibrar os aspectos práticos de Chronos e desfrutar as possibilidades de qualidade de vida de Kairós.

Infelizmente, do jeito que a humanidade está pressionada por Chronos, não conseguirá lidar com nenhum dos dois tempos.

MENTE MINIMALISTA E O TEMPO

Uma mente minimalista busca relacionar-se com o tempo de forma equilibrada. Primeiro, empenha-se em remover ou diminuir o volume de afazeres sem valor. Em seguida, faz uso das ferramentas de organização, como agenda, calendário, lembretes, *apps* e alarmes para planejar os compromissos.

Prioridade é um fator-chave na relação com o tempo. Se não definirmos o que é mais importante para nós, alguém definirá. Priorizar é saber dizer "não", é sacrificar o que não é essencial para liberar espaço temporal e mental para respirarmos sem pressa e aproveitarmos as oportunidades.

As oportunidades podem ser de qualquer natureza: carreira, negócios, lazer, passeio, viagem ou, simplesmente, deitar em uma rede e relaxar sem culpa. A meta é menos ocupação e mais vida.

QUANDO O MENOS É DEMAIS?

O destralhe contínuo pode se tornar um vício. O fanatismo ao minimalismo e às decisões impulsivas baseadas na construção de uma vida simples podem levar a pessoa a passar da dose na simplificação, empobrecendo pensamentos.

Sem perceber, menos é demais e pode deixar as pessoas vulneráveis, sem condições para se sustentarem, presas a uma egrégora de autossobrevivência irracional. Esse efeito pode ocorrer lentamente, sem a pessoa perceber que está desconectando-se da realidade.

Entre os minimalistas que sigo, está Patrick Rhone, autor do livro *Enough*.[6] Rhone participou do documentário sobre minimalismo da Netflix.

Em 2012, ele já nos alertava sobre os cuidados com a interpretação de **menos é mais** no minimalismo. Sou apaixonado por este trecho do livro *Enough*, que me ajudou a abrir a mente. Espero que ele tenha o mesmo efeito sobre você.

O que é suficiente?

Estou convencido de que uma vida bem-sucedida é amplamente impulsionada pelo equilíbrio e moderação. Nada demais. Também não é muito pouco. Apenas o suficiente. O Mais é fácil. Nossa tendência natural é ter um pouco Mais. Nossa sociedade reforça essa ideia. Mais significa segurança. Com Mais, você nunca estará com fome. Você sempre estará um pouco mais cheio. Porque Mais significa que você não precisa temer Menos. O medo de Menos nos leva a Mais. Menos nunca é bom. Menos o deixará preso. Menos o pegará com a guarda baixa. Menos te decepcionará quando você Mais precisar. Menos não satisfaz. Menos apenas deixa você querendo mais. Menos nunca é Suficiente. Somente quando reduzimos Mais ou aumentamos Menos para satisfazer nossas necessidades e desejos é que podemos encontrar o Suficiente.

Patrick Rhone, janeiro de 2012

Em uma conversa com a portuguesa Fátima Teixeira, ela partilhou um momento desafiador de sua trajetória no minimalismo, que vem ao encontro da mensagem deste capítulo. Decidi convidar a Fátima para escrever um texto e dividir seu rico aprendizado com vocês. Ela gentilmente aceitou o convite e enviou um relato emocionante. Leia-o com empatia.

---

6 RHONE, Patrick. *Enough*. Saint Paul: s/e, 2016. E-book.

Depoimento de Fátima Teixeira sobre quando menos é demais.

"Onde há foco, a energia flui."

Essa célebre citação de Tony Robbins resume a minha história. Meu nome é Fátima Teixeira, sou produtora musical e fundadora do projeto Powerful Creators. Durante muitos anos, estudei profundamente o minimalismo e, como consequência, minha vida melhorou substancialmente, sobretudo em termos de produtividade e bem-estar. Porém, estou prestes a partilhar com você algo que é pessoal e que gostaria que recebesse com a mente aberta, sem julgamento.

Entusiasmei-me com tantos benefícios do estilo de vida minimalista: mais tempo, mais espaço, mais vivência! Conforme o tempo passava, queria me tornar mais minimalista ainda. Eu atingi o ponto em que já tinha o essencial, mas de modo espontâneo e bastante natural continuava a desejar menos. Cada vez menos. Não queria mais telemóvel (celular), não queria mais objetos... Cada vez que alguém queria me dar algo eu pensava em mil maneiras de tentar recusar. Este texto seria infindável se eu começasse a relatar todos os detalhes. Nada disso foi radical, pelo contrário. E até aqui tudo parecia ser muito saudável.

Com o decorrer da vida, ia tendo cada vez menos... até atingir o *bottom line*: a minha vida resumiu-se à minha filha nos braços e a algumas roupas. Sem casa, dinheiro ou trabalho, saltitei entre algumas habitações até ir viver em um lugar sem todas as condições que eu achava indispensáveis. O meu melhor amigo disse-me: "Tanto desejaste o menos, que agora estás a viver nessa situação. Vamos conversar sobre algumas leis do universo".

Deu o *click*. Focar o menos tinha sido demais. Apercebi-me que eu era a responsável por aquela situação. O que eu manifestei e atraí para a minha vida naquela fase foi o menos.

"Como podes viver uma vida de abundância e prosperidade se focas a tua atenção no mínimo?"

"Como podes ter melhores condições ou mais dinheiro se envias um sinal contínuo de negação para o universo?"

Fiz um *switch* no meu modo de pensar e sentir. Comecei, então, a visualizar abundância na minha vida. Em vez de imaginar menos relacionamentos, pensava em uma vida social feliz. Quando alguém me oferecia algo, eu respondia: "Obrigada!", sentindo gratidão. Comecei a estudar sobre a lei da compensação, a lei da duplicação, a lei da atração, entre tantas outras... e percebi como nós atraímos aquilo que focamos.

Hoje, vivo num lugar lindíssimo com todas as condições "sobrando", tenho o meu carro, o meu próprio negócio, estou fazendo o que mais amo e passo todo o tempo do mundo com a minha filha. Ajudo todos à minha volta, dou o que de melhor tenho e dedico tempo de qualidade à família.

Manifestei uma vida de abundância e prosperidade. E foi tão rápido! Bastou somente entrar em alinhamento com uma mentalidade de gratidão e abundância e, repare, estou repetindo a palavra abundância tantas vezes em um livro sobre minimalismo propositalmente, não com o sentido de "ter muitas coisas ou excessos", mas sim de se sentir ilimitado.

Não se trata de sair em disparado comprando tudo, mas simplesmente de acreditar que tudo o que concebemos em nossa mente é realmente possível. Imagine amor infinito, gratidão profunda, abraços, carinho, felicidade, milagres, oportunidades únicas, crescimento contínuo, ajuda ao próximo, aquele seu sonho realizado. Existe uma grande diferença entre focar aquilo que você vai descartar a seguir ou focar o espaço que você tem para as coisas que ama.

Bob Proctor afirma que "carência e limitação só conseguem existir quando damos espaço a elas em nossa mente". Então, escolha não focar a limitação ou o mínimo. Mantenha sua mentalidade aberta à aprendizagem e ao crescimento. O minimalismo é uma ferramenta que traz bastante consciência, mas é importante não cair no limiar de desejar menos. Muitas pessoas focam mais o que vão destralhar do que aquilo que vão manter. Corte essa energia de falar sobre o que vai tirar ou o que vai parar de comprar ou fazer.

Porque aquilo em que você foca sua atenção cresce e manifesta-se.

Use esse "superpoder" sabiamente. Você é um criador poderoso da sua realidade.

Fátima Teixeira
Lisboa, Portugal
www.powerfulcreators.net

> Para obter saúde mental, primeiro dê espaço para a mente respirar.
> **#menteminimalista**

QUESTÃO
Qual passagem deste capítulo mais contribuiu para a sua transformação minimalista?

REFLEXÃO
De qual mito você ainda precisa se libertar?

AÇÃO
Preencha, na tabela abaixo, com três itens em cada coluna, o que você pode eliminar imediatamente da sua vida para ganhar mais tempo e espaço.

TEMPO	ESPAÇO
→	→
→	→
→	→

7
COMO COMEÇAR NO MINIMALISMO?

O começo é a metade de todas as ações.

PROVÉRBIO GREGO

Essa é uma das perguntas feitas com mais frequência por iniciantes no minimalismo. E o senso comum recomenda o seguinte: destralhe!

Já propus alguns exercícios leves de destralhe e desapego, mas apenas com o intuito de apoiar parcialmente a ansiedade de alguns. Contudo, a maneira mais sustentável de começar no minimalismo é mudando a mentalidade.

No capítulo 3, deixei alguns alertas sobre o destralhe impulsivo.

* O destralhe é a porta de saída. Primeiro, devemos fechar a porta de entrada;
* Deixe de ser lixeiro e passe a ser o porteiro da sua vida.

Neste capítulo, vamos avançar com a construção de uma mentalidade minimalista apropriada.

QUAL O SEU PROPÓSITO DE VIDA NO MINIMALISMO?

Enquanto você não tiver clareza e firmeza de propósito sobre o que quer com o minimalismo, as chances de começar certo e de sustentar a mudança tornam-se menores.

Além disso, o nível de comprometimento com o minimalismo pode ser diferente, dependendo da forma como entramos nele.

Circunstância ou consciência

Duas maneiras comuns de uma pessoa entrar no minimalismo:

PELA CIRCUNSTÂNCIA	PELA CONSCIÊNCIA
• Curiosidade e simpatia: ouviu falar sobre o assunto e quer saber mais. Está "todo mundo" falando sobre isso, deixa eu ver do que se trata. • Excesso de carga: por algum problema de saúde ou queda de produtividade, a pessoa se sente esgotada e sobrecarregada. O sinal de alerta estava acusando faz tempo, mas foi preciso uma crise para refletir sobre uma mudança de estilo de vida. O corpo e a mente tiveram que dizer: "Pare!". • Trauma emocional causado por algum tipo de perda que levou a pessoa a refletir sobre o que realmente importa. • Problemas financeiros causados por compras compulsivas e/ou indisciplina financeira. • Crise econômica e/ou queda da renda que força a pessoa a reduzir o padrão de vida.	• Decisão consciente e voluntária de modificar o estilo de vida em busca de simplicidade e paz de espírito. • Visão de mundo e consciência ambiental, que leva a pessoa a adotar o consumo consciente e um estilo de vida sustentável, com foco na qualidade de vida e na preservação do planeta para as futuras gerações.

Tabela 7.1
Fonte: O autor.

Não é errado despertar pela força da circunstância. Ela é apenas uma porta de entrada diferente, pela qual a maioria entra e, infelizmente, a porta pela qual a maioria sai.

Caso alguém tenha chegado ao minimalismo por alguma circunstância, ela somente se tornará minimalista quando a decisão de simplificar a vida for deliberada e intencional, motivada pela consciência. A circunstância pode ter aproximado a pessoa do minimalismo, porém o que a manterá nele será uma escolha voluntária. Dito isso, todo aspirante ao minimalismo precisa levar em conta três fatores para a transformação:

- **Humildade e disposição** para questionar a si mesmo, quebrando mitos, crendices e apegos que o levaram a criar um pensamento fixo sobre o que é a vida;
- **Aprender o que de fato é minimalismo**, descartando visões distorcidas causadas por quem ignora ou rejeita o tema;
- **Propósito e determinação** para lidar com os desafios de mudança de mentalidade e comportamento.

O minimalismo começa na mente. Primeiro, mudamos nossa mente, depois mudamos nosso comportamento, e, assim, consequentemente a vida muda. Toda mudança verdadeira ocorre de dentro para fora. Do contrário, poderá ser somente um movimento de empolgação e superficialidade.

A má compreensão do que é minimalismo tem criado um grupo que pratica o que chamo de minimalismo de conveniência, ou seja, as pessoas distorcem a ideia original para encaixá-la apenas em suas crenças e necessidades pessoais.

Já li comentários assim em grupos de minimalismo de que participo: "Essa é a parte do minimalismo de que eu não gosto", "Essa parte do minimalismo não serve para mim".

Isso é errado? Sim e não. Sim, quando essas pessoas se autodenominam minimalistas, mas fragmentam a ideia central para utilizar somente o que é conveniente e distorcem o minimalismo. Somam-se a esse equívoco as posições que essa pessoa assume publicamente ao declarar frases como os exemplos que citei, confundindo outros minimalistas iniciantes.

Não é um equívoco quando esses indivíduos caminham silenciosamente, sem se autodenominarem minimalistas e, principalmente, sem julgar nenhum outro minimalista. Com humildade, começam no minimalismo do jeito que podem, mas empenham-se em crescer de forma consciente e autêntica e, nesse caso, cada um tem o seu tempo, sem cobrança.

NOVE PASSOS PARA SEGUIR FIRME NO MINIMALISMO

Passo 1 – Defina o seu propósito de vida e como o minimalismo pode ajudar você, os outros e o planeta.

Passo 2 – Estude, leia e entenda o que é e o que não é minimalismo.

Passo 3 – Feche a porta de entrada, evite compras desnecessárias.
Antes de adquirir um produto, considere alguns pontos:
- Qual a razão da compra? Necessidade ou puro impulso?
- Qual item será comprado? É de boa qualidade ou será descartado em pouco tempo?
- Como será usado? Como é sua cadeia de produção?
- Como será comprado? Qual a forma de pagamento? Será preciso criar uma dívida?
- Qual a forma de descarte do produto? Ele vai gerar mais lixo ou poderá ser reciclado?

Passo 4 – Minimize até chegar ao ponto ótimo, que Patrick Rhone chama de *o suficiente*. Nem mais, nem menos.

Passo 5 – Comece pelos itens em que tem autonomia ou por objetos pessoais.

Passo 6 - Aprenda com outros minimalistas. Participe de grupos, fóruns e faça uma lista das referências que passará a seguir no mundo digital e presencial.

Passo 7 - Caso divida o lar com familiares e/ou amigos, respeite o espaço e o tempo das pessoas. Não imponha o seu novo estilo de vida. Aprenda a respeitar, aceitar e influenciar. Se você mora sozinho, avance rápido.

Passo 8 - Comece a considerar o minimalismo para as principais áreas da sua vida: moradia, saúde, alimentação, trabalho, mobilidade, finanças pessoais, aprendizagem, viagens e relacionamentos.

Passo 9 - Seja um influenciador, compartilhe a sua experiência. Decida contribuir mais do que consumir. Ensine outras pessoas, incentive minimalistas principiantes. Ajude a melhorar o mundo.

AS TRALHAS QUE ATRASAM NOSSA VIDA

Existem três tipos de tralhas a serem removidas da nossa vida:

Tralha mental - remover as tralhas que roubam a nossa energia mental e impactam nossa criatividade, produtividade e aprendizagem;

Tralha física - remover os objetos desnecessários que roubam nosso espaço físico;

Tralha temporal - remover as atividades que não geram valor e roubam nosso tempo.

Todos os três tipos, no fim das contas, roubam nosso dinheiro, nossa saúde e nosso tempo de vida. E a vida é muito curta para ser pesada.

> Concentre os seus
> esforços naquilo que
> deseja ser, não naquilo
> que deseja ter.
> **#menteminimalista**

QUESTÃO
Quais são os seus principais desafios no minimalismo?

REFLEXÃO
Qual tipo de tralha mais atrapalha a sua qualidade de vida neste momento?
( ) Tralha mental ( ) Tralha física ( ) Tralha temporal

AÇÃO
Você fechará a porta para qual item da sua vida? Onde está o seu maior desafio? Escolha um ponto e tente trancar a porta de entrada por trinta dias ou mais. Defina o seu tempo.
Exemplos: cosméticos, livros, roupas, comidas, sapatos etc.
Eu vou fechar a porta para _____
durante _____ dias a partir de ___/___/___.

8
COMO SER MINIMALISTA?

Como raios que partem do centro de uma roda, a simplicidade voluntária se projeta para o exterior a partir de um núcleo interno de experiência, influenciando cada faceta da vida.

DUANE ELGIN

Ser minimalista é um processo de repensar e reeditar nosso estilo de vida. Neste capítulo, entenderemos o que é estilo e qualidade de vida e como podemos espalhar as sementes do minimalismo para outras áreas da nossa vida.

Segundo a Organização Mundial da Saúde (OMS), "estilo de vida é o conjunto de hábitos e costumes que são influenciados, modificados, encorajados ou inibidos pelo prolongado processo de socialização".

Basicamente, estilo de vida é o modo como uma pessoa vivencia a vida, expresso nas escolhas que faz e em seu comportamento.

As escolhas sofrem influência cultural, de acordo com o conjunto de crenças e valores de determinado povo, indicando padrões de consumo, rotinas e hábitos.

De alguma forma, consciente ou não, todos buscamos alcançar uma qualidade de vida superior. A percepção sobre o que é qualidade de vida pode variar entre pessoas e povos, mas, em geral, consideram-se fatores relacionados à vida das pessoas, como família, trabalho, bem-estar físico, emocional e mental e condições econômicas.

Qualidade de vida, de acordo com a OMS, reflete a percepção dos indivíduos de que suas necessidades estão sendo satisfeitas ou, ainda, que lhes estão sendo negadas oportunidades de alcançar a felicidade e a autorrealização com independência de seu estado de saúde físico ou das condições sociais e econômicas.

Podemos associar todos os conceitos acima com a busca do ser humano por felicidade.

De alguma forma, fomos condicionados a experimentar a ideia de felicidade quando ascendemos a uma outra camada social, ou seja, quando melhoramos nosso "padrão de vida".

Como nos acostumamos a medir isso? Quando passamos a ganhar mais, comprar mais e ter mais? Fomos condicionados à cultura do *mais*. Quanto mais, melhor. Quanto mais tenho, mais feliz sou.

Tudo isso nos remete à primeira pergunta que fiz na abertura do livro: o que te faz feliz?

REEDITANDO O SEU ESTILO DE VIDA

A clássica Pirâmide de Maslow explica que as nossas necessidades primárias (fisiologia e segurança) devem ser satisfeitas antes das secundárias.

Figura 8.1
Fonte: Endeavor Brasil.[1]

Sim, podemos considerar que uma coisa leva a outra. Segundo Elgin,[2] existe um motivo para esse pressuposto:

> Historicamente, a maioria das pessoas vivia no limite da subsistência, de modo que um pequeno aumento em sua renda aumentava também o seu bem-estar material (alimentação, moradia e segurança), o que gerava mais felicidade.

A pirâmide criada por Abraham Maslow[3] serve como base para profissionais de propaganda e marketing elaborarem as suas pesquisas de mercado e campanhas publicitárias. Esses profissionais entendem melhor do que nós o suposto caminho da felicidade a que aspiramos e nos bombardeiam de mensagens publicitárias com a promessa: "Compre mais e seja feliz".

---
1 PIRÂMIDE DE MASLOW: ENTENDA O QUE MOTIVA SEUS PÚBLICOS. Endeavor Brasil. 7 jul. 2015. Disponível em: <https://endeavor.org.br/pessoas/piramide-de-maslow/>. Acesso em: 4 maio 2020.
2 ELGIN, 2012, p. 116.
3 Abraham Maslow foi um psicólogo norte-americano, conhecido pela Teoria da hierarquia das necessidades humanas ou a pirâmide de Maslow.

Porém nos enganamos ao tentar encontrar uma sensação mais duradoura de felicidade com as compras. O que sentimos são gratificações temporárias. Percebendo ou não, entramos em um círculo vicioso de estímulo-compra-gratificação que leva embora o nosso dinheiro. E, conforme disse Pepe Mujica, ex-presidente do Uruguai, no documentário *Human*:[4] "Pagamos todo esse dinheiro com o nosso tempo de vida".

SIMPLIFIQUE A SUA VIDA

No momento em que escrevo este capítulo, o mundo está sendo levado a uma pausa forçada devido à crise do coronavírus. De alguma forma, por força da circunstância, talvez muitos estejam repensando seu estilo de vida.

Entendo que essa é uma porta aberta para o minimalismo entrar na vida dessas pessoas. Mesmo que não seja por meio da consciência, pode ser um começo e uma oportunidade.

MINIMALISMO DOGMÁTICO

Liberte-se do dogma de que viver de forma simples é somente viver com menos. A escolha por esse estilo requer equilíbrio para que a vida seja preenchida de objetivos e realizações. Minimalismo não é falta de ambição.

Elgin nos alerta:[5]

---

4 *HUMAN. Direção: Yann Arthus-Bertrand. Produção: Jean-Yves Robin. Música: Armand Amar. França, 12 set. 2015. 1 vídeo (188 min.). Disponível em: <https://www.youtube.com/watch?v=FpfsXQKG8vY>. Acesso em: 16 abr. 2020.*

5 *ELGIN, 2012, p.121.*

Para viver de maneira sustentável, é vital que cada um de nós decida o que é "bastante". A simplicidade é uma faca de dois gumes: viver com muito pouco ou com excesso irá, em ambos os casos, diminuir a nossa capacidade de realizar nossos potenciais.

Precisamos ficar atentos para identificar *quando o menos ou o muito são demais.*

TOMANDO DECISÕES

Em consonância com a frase de abertura deste capítulo, vamos explorar como o minimalismo pode se espalhar, reeditando nosso estilo de vida.

Como indivíduos, não somos impotentes. Não nos faltam opções de escolha, por exemplo:

- No alimento que ingerimos;
- No trabalho que fazemos;
- No transporte que usamos;
- Nos relacionamentos;
- Nas roupas e nos calçados que usamos;
- No que queremos aprender;
- Nos programas de TV a que assistimos;
- Nos candidatos em que votamos;
- Nas causas humanitárias que defendemos.

Enfim, temos muito mais opções de escolha do que podemos imaginar. Esses são apenas alguns exemplos.

Durante o fim da leitura deste capítulo, você pode começar a responder à segunda pergunta do início do livro:

Como você quer viver
o restante da sua vida?

Moradia minimalista

Considero essa a decisão mais importante, porque, na minha experiência, ela influencia todas as outras. A função básica de uma moradia é nos fornecer abrigo, proteção, repouso e a sensação de segurança, além de ser o espaço mais íntimo da nossa vida e o ambiente onde convivemos em família e educamos nossos filhos. Essa definição representa uma configuração tradicional do que é um lar. É claro que podem existir outras configurações e interpretações possíveis.

Recomendações

Sugiro que você se questione sobre o quanto a sua decisão de moradia está contribuindo para simplificar a sua vida. Abaixo, alguns critérios a considerar:

1. **Distância entre casa e trabalho**
   Não seria muito melhor morar perto do trabalho ou trazer o trabalho para perto da nossa casa? Como fazer isso? Você terá que encontrar essas respostas. Só não deixe a sua mente dizer que é impossível e não significa que tenha que fazê-lo agora. Na minha visão, esse é o critério número um para simplificarmos e ganharmos qualidade de vida. Contudo, muitas pessoas estão ancoradas em suas casas. Uma variável é compreensível: dinheiro. Entretanto, ela não é definitiva. Ainda assim, os maiores limitadores são o medo da mudança e o campo de força da conveniência que nos prendem a um lugar.

2. **Qual o propósito da sua moradia?**
   Que tamanho ela precisa ter? Qual o momento do ciclo de vida da sua família? No meu caso, somos eu e a minha esposa. Para nós, um apartamento de sessenta metros quadrados

é o suficiente. Mesmo que tivéssemos um ou dois filhos, ajustaríamos o espaço conforme as necessidades. Nós dois trabalhamos em casa, em função disso, o que poderia ser o quarto das crianças é o nosso escritório. Nós também trabalhamos como produtores de conteúdo para nossos canais na internet. Então, de forma planejada, configuramos o *layout* e a decoração para servir como um estúdio de gravação. Pensamos em todos os detalhes: iluminação, cores, acústica, considerando que as nossas temáticas minimalismo e alimentação saudável convirjam para o propósito de vida que escolhemos.

Outras aplicações da nossa moradia:

- Promover encontros com pequenos grupos para estudo bíblico;
- Promover workshops sobre alimentação saudável;
- Servir como estúdio de gravação para nossos projetos digitais.

Considerando essas aplicações, pensamos no design e na simplificação dos espaços, aproveitando ao máximo a luz natural e a flexibilidade dos móveis.

Finanças minimalistas

O minimalismo não é um tratamento para quem sofre de indisciplina financeira ou compra compulsiva, mas é uma boa ferramenta de apoio para quem considera rever os seus hábitos de consumo e padrão de vida. Alguns se aproximam do minimalismo justamente por não terem uma educação financeira adequada e viverem sob o ciclo de dívidas. Tudo bem se esse for também o seu motivo. Porém, agora chegou o momento de dar um passo além, assumindo o controle financeiro da sua vida.

Recomendações

1. Faça o seu orçamento doméstico

- Conheça o seu custo fixo.
- Separe um envelope ou uma pasta e, durante um mês, coloque todos os comprovantes, cupons fiscais e recibos dentro dela.
- Nesse mês, diariamente, agrupe todos os gastos por categoria. Você pode fazer isso em uma planilha eletrônica ou em um caderno. Exemplos: carro, supermercado, luz, água, condomínio, vestuário, remédio, lazer, educação.
- Pense de maneira anualizada. Faça uma projeção dos gastos para doze meses. Some todas as estimativas de gastos com o carro e divida por doze (pagamento anual: IPVA, seguro, licenciamento. Pagamento mensal: combustível, lavagem, estacionamento, manutenção, pedágio etc.).
- Estime o seu custo variável, despesas eventuais ou emergenciais que podem ocorrer durante o ano (viagem, curso, festa, presente, remédios etc.).
- Elabore o seu orçamento doméstico: projeção da renda do ano (salário, pró-labore, renda extra) e projeção das despesas (custo fixo + custo variável).

2. Defina o seu custo de vida mínimo

Defino custo de vida mínimo como o mínimo de renda que uma pessoa ou família precisa ter, menos os gastos inerentes às escolhas de como querem viver, que seja o suficiente para gerar bem-estar e promover a realização pessoal ou familiar.

Não existe um manual ou uma meta que padronize esse conceito. Cada pessoa e cada família devem definir o que é suficiente.

3. Tenha uma reserva

Principalmente para situações emergenciais ou momentos de crise econômica de pelo menos três meses da sua renda.

Especialistas recomendam seis meses. Encontre o equilíbrio que o deixará tranqilo.

Trabalho minimalista

Esse talvez seja um dos maiores desafios para muitas pessoas, principalmente para os brasileiros, que foram condicionados a associar trabalho a emprego. Não que isso não tenha ocorrido ou ainda ocorra em outros países, mas essa ainda é uma característica muito forte como consequência do nosso histórico socioeconômico. Não é simples libertar-se desse paradigma, mas é possível. Apesar de muitos terem despertado para o empreendedorismo ou para as atividades autônomas, a maior parte da sociedade e do motor econômico está baseada no emprego. Mas é possível ser minimalista sendo um empregado? Sim. Contudo, é mais desafiador, na minha opinião. Por quê? Porque você estará preso ao modelo de ter que trabalhar "X" horas por semana.

Por mais que você ame o seu trabalho e tenha uma boa renda, o volume de horas trabalhadas o privará de aproveitar tantos outros momentos da sua vida.

Talvez:
- Além do tempo dedicado ao trabalho, você passe longas horas por semana em um trânsito caótico;
- Você viva ligado quase que dezoito horas no celular, respondendo a mensagens e e-mails;
- Você tenha que manter o seu trabalho para pagar as prestações da casa, do carro etc.
- Você esteja sacrificando a relação com a sua família e nem tenha visto, ou não esteja vendo, os seus filhos crescerem, caso os tenha;

- Mesmo ganhando bem e tendo certo status social pelo cargo que ocupa e a empresa em que trabalha, você nem consiga tirar férias. E, quando consegue, a sua cabeça ainda fique no trabalho.

Poderia alongar a lista anterior, mas creio que tenha sido o suficiente para entender.

O que acontece é que, aos poucos, transformamo-nos em nosso trabalho, perdendo a nossa identidade e o prazer de saborear outras áreas da vida.

Você não é o seu trabalho. Ele é apenas uma parte sua. Lembre-se e mude isso, se você quiser, é claro, e também se for possível.

Recomendações

- Faça planos e considere outras opções além do emprego;
- Use o modelo de emprego por determinado tempo, depois faça uma transição planejada;
- Capacite-se continuamente;
- Procure um profissional para auxiliá-lo;
- Mude para perto do trabalho ou traga o trabalho para perto de casa;
- Execute os planos;
- Diversifique sua renda;
- Estabeleça conexões e parcerias.

Mobilidade minimalista

A decisão de viver sem carro é uma tendência no mundo todo, principalmente em países desenvolvidos e para os mais jovens. Muitos brasileiros amam automóvel, e talvez esse ainda seja um grande desafio. Sempre digo para as pessoas pensarem em mobilidade e quebrarem a sua dependência do automóvel.

No Brasil, costumamos dizer que o carro é uma outra família, porque o total de gastos inclusos no pacote é enorme, além da alta velocidade com que esse tipo de bem deprecia. Financeiramente, ele é um passivo que nos empobrece. Dependendo da relação que temos com o carro, ele pode ser outra âncora, além da casa em que moramos há anos e do paradigma de viver trabalhando, que nos prende a um padrão de vida maximalista.

Se olharmos para o carro como um meio de transporte, considerando a sua funcionalidade e praticidade, diminuiremos as chances de ficar reféns dele. Mas, quando o carro se torna um brinquedo para satisfazer nossos desejos e alimentar nosso status, perdemo-nos.

Para ser minimalista, tenho que viver sem carro? Não, um minimalista pode ter o que quiser. Desde que isso seja coerente com o estilo de vida que escolheu. Em muitas famílias, ter mais que um carro é conforto, não necessidade. A lógica maximalista que está por trás é a seguinte: "Se podemos pagar por dois ou até três carros, por que não os ter?".

Eu e minha esposa, em 2010, meses antes de decidirmos casar, resolvemos vender um de nossos carros – o dela, que era mais antigo. Eu tinha acabado de comprar um carro zero e deixei com ela. Passei a usar uma moto de 125 cilindradas e uma bicicleta como meios de transporte. O carro nos foi muito útil, ficamos com ele até 2017. Há três anos, decidimos vender o carro e, em seguida, a moto, e desde então nos adaptamos a viver sem ambos.

Como fazemos?

Caminhamos muito e voltamos a utilizar transporte público. Usamos a bicicleta com regularidade e alugamos um carro quando necessário. Além disso, fomos beneficiados pela concorrência, com a chegada dos serviços de transporte por aplicativo. Como nos sentimos? Livres.

Recomendações

1. Considere as mudanças nos quesitos moradia e trabalho. No nosso caso, fizemos isso primeiro, ou seja, não ficamos sem carro do dia para a noite;
2. Faça contas. Saiba o quanto o carro pesa no seu orçamento doméstico e como seria a sua vida sem ele;
3. Reflita, decida e considere ao menos fazer uma experiência.

Alimentação minimalista

Como comentei, é quase inevitável o minimalismo não crescer para outras áreas da nossa vida. Como é um exercício de expansão da consciência, as perguntas sempre chegam para confrontar os nossos valores e costumes. Alguns podem considerar que nada desse quesito tenha relação direta com o lado funcional do minimalismo. Mas, como para mim a funcionalidade é só um dos aspectos da minha escolha com o minimalismo, há total relação.

No meu caso, minimalismo há relação direta com meu propósito de vida e as escolhas que fiz e faço pensando no meu bem-estar e no coletivo. Não sabemos para onde iremos quando entramos pela porta do autoconhecimento. Eu não sabia e ainda não sei.

Quais pensamentos me guiaram?

Bem-estar, para mim, diz respeito a um estilo de vida sustentável. E nada, nada é mais importante na sustentabilidade do que zelar pela nossa própria saúde. Não adianta querermos ajudar o próximo sacrificando a nossa saúde e reduzindo o nosso tempo de vida em função de uma rotina desregrada e inconsequente.

Perder as faculdades física e mental antes da hora por negligência pessoal é algo insustentável. Ao fazermos isso, a tendência é que nos tornemos um fardo para a família, para a sociedade e, é claro, para nós mesmos.

Redefini prioridades. Alimentação em primeiro lugar. Outros aspectos inerentes ao hábito alimentar, como prazer e vida social, ficaram em segundo plano. Com essa decisão, eu e minha esposa descobrimos um mundo paralelo à alimentação convencional cheio de prazer, que passava ao nosso lado. A mudança renovou o nosso paladar e costumes. Hoje faz 54 dias que não comemos uma refeição com o tradicional arroz e feijão brasileiro. Isso seria inimaginável há alguns anos.

A mudança de hábito, naturalmente, fez com que revíssemos inclusive quem de fato faz parte do nosso ciclo social. Para nós, esse é um ponto importante, pois, quando escolhemos outro caminho de vida, as relações importam.

Todas as nossas ações foram ponderadas e os benefícios que estamos colhendo são incríveis.

As minhas escolhas

Nenhuma delas foi fácil.
- Não tomo nenhuma bebida alcóolica desde 2017;
- Parei de beber leite;
- Ainda tomo café, mas aprendi a tomar puro. Um dia, pretendo parar;
- Reduzi em 90% o consumo de carne. Meu desafio é com peixe e comida japonesa. Não sei se um dia vou parar totalmente;
- No mínimo, 50% da minha alimentação é de alimentos crus;
- Bebo mais água do que antes.

Vida saudável

Como o foco das minhas decisões foi a saúde, outras atitudes, naturalmente, foram integradas, como:

- Prática regular de exercício;
- Passei a dormir mais e melhor;
- Cancelei o meu convênio médico há um ano e fiz a minha carteirinha do SUS;
- Estamos planejando morar no litoral, para colher os benefícios do ar puro, do banho de mar e de um ritmo de vida mais tranquilo.

Recomendações

1. Estude os benefícios da alimentação saudável.
2. Assista aos documentários abaixo:
- *A carne é fraca*;[6]
- *Dieta de gladiadores*;[7]
- *FED UP*;[8]
- *Food Chains*;[9]
- *Forks Over Knives*;[10]
- *What the Health*.[11]
3. Busque recomendações e consulte um nutrólogo ou naturopata.

---

6 A CARNE é fraca. Realização: Instituto Nina Rosa. Brasil, 12 nov. 2012. 1 vídeo (53 min.). Disponível em: <https://www.youtube.com/watch?v=rrFsGTw5bCw>. Acesso em: 16 abr. 2020.

7 DIETA de gladiadores. Direção: Louie Psihoyos. Produção: Jackie Chan, Arnold Schwarzenegger e James Cameron. Brasil, 2018. 1 vídeo (85 min.). Disponível em: <https://www.netflix.com/br/title/81157840>. Acesso em: 16 abr. 2020.

8 FEED UP. Direção: Stephanie Soechtig. EUA, 2016. 1 vídeo (100 min.). Disponível em: <https://www.youtube.com/watch?v=wPHvvP8Ih2g>. Acesso em: 16 abr. 2020.

9 FOOD Chains. Direção: Sanjay Rawal. EUA, 2015. 1 vídeo (83 min.). Disponível em: <http://www.adorocinema.com/filmes/filme-232828/trailer-19542127/>. Acesso em: 16 abr. 2020.

10 FORKS over knives. EUA, 2011. 1 vídeo. Disponível em: <https://www.forksoverknives.com/the-film/>. Acesso em: 16 abr. 2020.

11 WHAT the health. Produção: Leonardo DiCaprio. EUA, 2017. 1 vídeo (92 min.). Disponível em: <https://www.netflix.com/br/Title/80174177>. Acesso em: 16 abr. 2020.

4. Leia os livros:
- *Saúde nua e crua;*[12]
- *Conselhos sobre regime alimentar.*[13]

5. Conheça os oito remédios naturais.[14]

6. Siga o canal Sabor com Saber[15] no YouTube. É o canal da minha esposa, praticante da naturopatia.

7. Busque conhecimento, experimente e faça o que for possível.

> Ser minimalista é
> ter coragem para
> reeditar a vida com os
> próprios valores.
>
> **#menteminimalista**

QUESTÃO
Qual é o aspecto do seu estilo de vida que mais te incomoda neste momento?

REFLEXÃO
Que tipo de paradigma você percebeu que precisa quebrar para abrir a sua mente para o novo?

---

12 VIDOTO, Marcia Lobo. Saúde nua e crua: alimentos na prevenção e cura de doenças, peso ideal e qualidade de vida. Curitiba: Bio Editora, 2016.

13 WHITE, Ellen G. Conselhos sobre o regime alimentar. Porto Alegre: CPB, 2016.

14 HERRERA, Patricia. 8 remédios naturais. Patricia Herrera: vida e saúde natural. Disponível em: < https://patriciaherrera.com.br/8-remedios-naturais/ >. Acesso em: 10 jun. 2020.

15 Disponível em: < https://www.youtube.com/channel/UCHTfw3sl5mU5hhlEaTki1Og >.

AÇÃO

Escolha uma das áreas do seu estilo de vida e estabeleça uma meta para os próximos trinta dias. Algo simples, como:

- Pesquisar quanto custa o aluguel de um apartamento próximo ao seu trabalho;
- Calcular quanto o carro custa na sua vida;
- Pesquisar outra alternativa de carreira;
- Guardar todos os recibos, cupons fiscais e comprovantes de pagamento durante um mês.

MENTE
MINIMALISTA

A felicidade é um estado de espírito. Se a sua mente ainda estiver num estado de confusão e agitação, os bens materiais não vão lhe proporcionar felicidade. Felicidade significa paz de espírito.

DALAI LAMA

Quando a mente muda, o mundo ao nosso redor muda, porque passamos a enxergá-lo com outra lente. Isso é mudar o *mindset*.
  Neste capítulo, vamos entender como podemos fazer isso e construir a ponte para uma mente minimalista.

MUDANÇA DE *MINDSET*

O que é *mindset*?[1]
Traduzindo ao pé da letra, *mindset* significa "configuração da mente".

---
1 Mindset também é conhecido como modelo mental, mapa mental ou esquema mental.

mind (mente) + *set* (configuração)= configuração da mente

Mindset é o **mapa** que levamos dentro da nossa mente, que influencia as nossas decisões no **território** da vida.

O que diferencia uma pessoa da outra para enfrentar a mesma situação (território) é a sua mentalidade (mapa). Deixe-me dar um exemplo clássico:

Dois irmãos gêmeos criados no mesmo lar e submetidos aos mesmos ambientes não terão pensamentos e comportamentos iguais. Pois a maneira como cada um recebe, interpreta e lida com as experiências forma a individualidade de cada um.

Segundo Mike George,[2] "nós formamos a nossa mentalidade em três níveis: conforme criamos e mantemos crenças sobre o mundo, sobre os outros e sobre nós mesmos".

"Mentalidade é basicamente uma crença ou um sistema de crenças que usamos para filtrar as nossas percepções e pensamentos, e que moldam as nossas decisões, sentimentos e comportamentos", completa o autor.

Para criarmos uma mente minimalista, devemos desafiar nossas crenças e conscientemente alterá-las por meio da reflexão e a ação.

Apesar de sermos habilitados como seres pensantes, o que diferencia a nossa espécie das outras, ainda estamos engatinhando rumo ao domínio da mente. É dentro dela que travamos a mais dura de todas as batalhas.

O QUE É UMA MENTE MINIMALISTA?

Mente minimalista é uma mente livre de crenças irracionais e aberta à aprendizagem para uma vida conscientemente simples e sustentável.

---

2 GEORGE, Mike. *Mindsets: altere suas percepções, crie novas perspectivas e mude seu modo de pensar.* Petrópolis: Vozes 2017, p. 11.

Perceba que uma vida minimalista não é necessariamente uma vida simples. Antes de tudo, ela precisa ser uma vida consciente e, consequentemente, sustentável.

Uma mente minimalista é uma mente aberta à aprendizagem. Aprender também é desaprender, o que significa liberar a nossa mente das crenças irracionais que moldam de maneira invisível nossas escolhas, desde as mais simples.

Para a produção do documentário *Mente minimalista*, entrevistei Paula Matias, minimalista que mora em Lisboa. Enquanto escrevia a página deste capítulo, lembrei da conversa que tivemos e a convidei para dividir a experiência dela com o minimalismo.

É com você, Paula:

O Minimalismo entrou na minha vida de mansinho, pé ante pé. Não pediu licença, foi entrando como aquele amigo que faz parte da nossa casa e tem sempre a porta aberta.

Não acordei um dia e decidi "vou ser minimalista!". Não li um livro, vi um filme ou documentário que me inspirou e decidi: "É hoje!". Não!

Foi no meu caminho de autoconhecimento e desenvolvimento pessoal que surgiu o minimalismo.

Pela minha experiência de vida e por muitas conversas com pessoas com quem tenho cruzado, minha visão é de que o minimalismo como forma de vida é uma opção consistente e duradoura apenas se tiver por base o autoconhecimento.

Posso decidir reduzir o número de objetos que possuo em casa e mobiliá-la com o mínimo, mas isso é apenas uma parte, não só mínima como mais provável que seja modismo.

Quando aumentei o meu nível de autoconhecimento, comecei a perceber as razões dos meus comportamentos, os porquês, as motivações (os motivos para as minhas ações) e, assim, começou a abrir-se todo um mundo novo.

Esse mundo levou-me a temas diferentes, como a forma como me alimento, como me visto, como educo os meus filhos, como me desloco, como vivo na minha casa, como me relaciono comigo e com os outros etc.

Isso nada mais é do que viver uma vida consciente. Vida consciente é a vida em que optamos por fazer escolhas diárias. É quando escolhemos sair do piloto automático que a sociedade de consumo nos impõe e temos coragem de ser nós mesmos.

A nossa sociedade está calibrada para nos encaixar nesse padrão consumista onde, aparentemente, não temos outras opções que não sejam consumir para sermos mais bonitos, bem-sucedidos, rápidos e não perdermos tempo.

Perante o que estamos vivendo hoje, a escala planetária com a pandemia, somos todos convidados a refletir sobre nossas escolhas individuais e o impacto que elas têm no mundo. Nunca antes se impôs a mudança de hábitos, de vida, de escolhas. O mundo mostra-nos que é insustentável continuar dessa forma e que ser minimalista é uma das alternativas de vida que pode se somar a um conjunto de outras soluções.

Que a promoção do autoconhecimento comece na educação dos pais, nas escolas e em outros ambientes sociais que estimulem a consciência. Assim, outros meios sustentáveis de vida surgirão.

Todos temos a ganhar, e o nosso mundo agradece. E muito!

Paula Matias
Lisboa, Portugal

CRENÇAS IRRACIONAIS

Vamos entender, com alguns exemplos, o que são crenças irracionais.

Segundo Albert Ellis,[3] um dos mais relevantes estudiosos sobre o assunto: "Crenças irracionais são interpretações ilógicas da realidade que colaboram para o desenvolvimento de perturbações

---

3 ELLIS, Albert. *Rational Psychotherapy*. The Journal of General Psychology. New York City, 1958. p. 35-39.

emocionais". Tais crenças tendem a se tornar regras rígidas e generalizadas sobre como o indivíduo enxerga a si mesmo ou os outros e o mundo.

Ellis descreveu onze crenças irracionais:

1. Uma pessoa deve ser estimada ou aprovada por todas as pessoas supostamente importantes em sua vida;
2. Uma pessoa deve ser plenamente competente, adequada e realizada sob todos os aspectos possíveis, para que possa considerar-se digna de valor;
3. Certas pessoas são más, perigosas ou desprezíveis e deveriam ser censuradas e punidas por suas maldades;
4. É horrível e catastrófico quando as coisas não acontecem exatamente do modo como a pessoa gostaria muito que acontecessem;
5. A infelicidade humana é causada por razões externas, e as pessoas têm pouca ou nenhuma capacidade de controlar seus sofrimentos;
6. Se alguma coisa é, ou poderá vir a ser, perigosa ou apavorante, o indivíduo deve ficar tremendamente preocupado e pensar persistentemente na possibilidade de essa coisa acontecer;
7. É mais fácil evitar do que enfrentar certas dificuldades e responsabilidades pessoais;
8. Uma pessoa é dependente da outra e precisa de alguém mais forte do que ela para poder confiar e apoiar-se;
9. O passado de uma pessoa é o determinante pessoal de seu comportamento atual, e pelo fato de alguma coisa haver afetado seriamente sua vida, deverá influenciar indefinidamente sobre ela;
10. Uma pessoa deve ficar extremamente preocupada com os problemas de outras pessoas;
11. Existe sempre uma solução correta, precisa e perfeita para os problemas humanos, e é uma catástrofe quando a solução não é encontrada.

Desafio minimalista nº 4:
Estilo de vida

Convido você a separar um tempo para meditar sobre as crenças irracionais de Ellis. Contudo, por agora, se puder, responda como a crença abaixo pode influenciar uma mentalidade maximalista.

> Uma pessoa deve ser estimada ou aprovada por todas as pessoas supostamente importantes em sua vida.
>
> **Sua resposta:**

MENTE MINIMALISTA É UMA MENTE CONSCIENTE

Vamos apreciar as palavras de Duane Elgin[4] sobre vida consciente.

Faz uma enorme diferença se o minimalismo[5] é voluntariamente escolhido ou involuntariamente imposto.

Considerem-se, por exemplo, duas pessoas que vão trabalhar de bicicleta para economizar gasolina. A primeira quis fazer isso e fica muito satisfeita com o exercício físico, o contato com o ambiente e a consciência de não estar desperdiçando energia. A segunda pedala até o escritório por causa das forças das circunstâncias – o alto custo do combustível ou a

---

4 ELGIN, 2012, p. 97-98.

5 Substitui a expressão simplicidade voluntária, utilizada por Elgin, por minimalismo.

incapacidade de comprar um carro. Longe de se deleitar com o passeio, ela fica ressentida a cada esforço que imprime nos pedais. Essa pessoa anseia pelo conforto e a velocidade de um automóvel e é indiferente ao benefício social colhido pela economia de energia. Vistas de fora, as duas estão empenhadas numa mesma atividade. Mas as atitudes e experiências de cada uma são bem diferentes. Essas diferenças importam muito porque determinam se o ciclismo poderá ou não se revelar uma resposta funcional e satisfatória às crises de energia. Para a primeira pessoa, sim. Para a segunda, essa não é obviamente uma solução satisfatória e talvez nem mesmo funcional (na medida em que, como tantas outras, ela tenta subtrair-se às leis para obter vantagens pessoais). O exemplo ilustra quão importante é o fato de o minimalismo ser uma atitude consciente e escolhida ou externamente imposta. O minimalismo envolve, portanto, não apenas o que fazemos (ao mundo exterior), mas também a intenção com que isso é feito (o mundo interior).

OITO PENSAMENTOS MINIMALISTAS

A seguir, selecionei oito pensamentos minimalistas para ajudá-lo a desafiar algumas crenças irracionais e libertar-se da força das circunstâncias para uma vida consciente no minimalismo.

A minha expectativa é que esses pensamentos possam apoiar a sua transformação minimalista, migrando aos poucos, ou quem sabe, de uma vez, para o minimalismo.

Pensamento minimalista nº 1:
Você não é uma coisa ou um papel

Existe um conceito conhecido na psicologia como "eu estendido". Ele ocorre quando transferimos o nosso "eu real" para as coisas. É um mecanismo de apoio e de fuga que utilizamos para criar nossa identidade no mundo. Incapazes de responder quem somos de forma clara e consciente, apoiamo-nos nas coisas e nos diversos papéis que ocupamos no mundo para autoafirmarmos nossa importância. Começamos a construir esse comportamento influenciados por nossos pais, que tendem a transferir possíveis frustrações e aspirações para os filhos. Alguns tentam deixar os filhos, o mais cedo possível, fazerem as próprias escolhas. De qualquer forma, é um grande desafio, porque, mesmo que inconscientemente, os pais tentam impor os próprios gostos e preferências para os filhos. É claro, partimos do pressuposto de que eles fazem isso com amor e com a melhor das boas intenções. Entretanto, não estamos tratando de amor e boas intenções, mas sim do que chamamos tecnicamente de transferência. Aos poucos, essa transferência passa a moldar o nosso comportamento, levando-nos a transferir a nossa identidade para as coisas. O estilo de roupa que vestimos passa a ser uma extensão do nosso eu. O modelo de carro que adquirimos, o tipo e tamanho de casa em que moramos e todas as coisas que compramos ao longo da vida acabam tornando-se a expressão visível daquilo que pensamos, sentimos e valorizamos. A consequência natural é que, aos poucos, as coisas que nos cercam acabam por soterrar o nosso verdadeiro "eu". Outro mecanismo que comumente cria a nossa identidade é o papel que ocupamos no mundo. Começamos como filhos, irmãos, primos, amigos e alunos. Conforme chegamos à vida adulta, a lista e a responsabilidade aumentam. Passamos agora a ocupar outros papéis na família, no trabalho e na sociedade. Recebemos cargos, funções, profissões. A lista é extensa: cidadãos, consumidores, clientes, contribuintes, professores, pai, mãe, tios, provedores, líderes etc. A premissa é que quanto mais papéis e responsabilidade tivermos, mais importante seremos, pois eles traduzem quem somos, nossa identidade no mundo.

O que e
como fazer

Começar a remover aos poucos cada camada, até chegar ao núcleo, reconhecendo o nosso eu real. A meditação, não importa qual é a técnica ou o nome que você dê a ela, é um dos caminhos possíveis para o autoconhecimento. O minimalismo é uma forma tangível de removermos o excesso de camadas (coisas e papéis) que escondem quem nós somos. Não sei se chegaremos ao núcleo, mas sei que a plenitude de uma existência real está mais próxima dele do que das coisas. Remover o excesso de papéis e, consequentemente, os afazeres inerentes a cada um, trará mais tempo livre. Não estou dizendo para desconsiderarmos as nossas responsabilidades primárias, só estou sugerindo que não precisamos correr atrás de responsabilidades secundárias apenas para fortalecer a nossa importância no mundo. Acima de tudo, liberte-se da necessidade de sustentar a sua imagem perante os outros por meio do status das coisas ou dos papéis sociais.

Pensamento minimalista nº 2:
A sua casa não é o mundo

A filosofia do culto ao material, principalmente nas culturas ocidentais, sugeriu que trouxéssemos para dentro de nossas casas o que está do lado de fora delas, para sermos mais felizes. Na teoria, começamos a trazer os itens necessários. Aos poucos, a necessidade vai se misturando com desejos e aspirações, estimulados pela propaganda e nossa necessidade de nos compararmos aos outros para medir a nossa felicidade. Mais do que uma casa, começamos a transformá-la em outros ambientes. Fazemos uma piscina para transformá-la em um clube. Compramos TVs cada vez maiores e os acessórios e serviços complementares para transformá-la em um cinema. Compramos esteiras, bicicletas ergométricas e outros acessórios para transformá-la em uma academia. Queremos cozinhas e salas de jantar cada vez maiores para transformá-la em um restaurante ou salão de festas. Precisamos de uma casa maior para inserir nela o nosso escritório, a nossa oficina de marcenaria, o estacionamento para os nossos carros, o estúdio para os nossos instrumentos e equipamentos musicais. Alguns também transformam as suas casas em imensas bibliotecas, ateliês de arte, galerias e museus. Enfim, sem perceber, estamos tentando colocar o mundo dentro de nossas casas. Qual o efeito disso? A ideia de que precisamos de mais espaço ou nos mudar para um condomínio onde a maioria desses itens esteja contemplada. Fazemos uma conta de custo-benefício para arcar com o pagamento de uma taxa condominial alta, justificada, por parte, pelos serviços citados. Para uma parcela da classe social, que inclui A e B, essa é a lógica maximalista. O pensamento é: "Estamos pagando por tudo isso, então vale a pena".

O que e como fazer

É compreensível que, além dos itens citados, no Brasil, principalmente, o que está se pagando também é por segurança. Entretanto, é possível morar em um lugar que ofereça segurança sem todos os itens citados, por uma taxa condominial bem mais econômica. Mas, como disse, tudo é uma questão de escolha. O que de fato sugiro para você é fazer uma mudança da mentalidade maximalista e assumir o minimalismo como uma alternativa consciente, simples e sustentável de vida. A crise econômica gerada pela pandemia do coronavírus está levando muitas pessoas a repensarem o padrão de vida. A minha esperança é que alguns que estejam sendo levados para uma mudança por força das circunstâncias, após a crise, possam adotar uma vida mais simples, pelo exame de consciência.

Pensamento minimalista nº 3:
Você tem limites

Para dar conta dos desafios da vida, venderam-nos a ideia do mito do herói. Esse pensamento fantasioso e motivacional, estimulado pelo cinema e pela indústria de autoajuda, convenceu-nos de que somos invencíveis. De que tudo é uma questão de autodeterminação. Que podemos aprender a lidar com o impossível e que, se você não consegue ter sucesso na vida, é porque não se esforçou o suficiente. Que o fracasso nada mais é do que uma consequência de uma pessoa preguiçosa, que não estudou e que não fez por onde. Esse determinismo afirma que somos seres sem limites, senhores do nosso destino. Como consequência, vestimos a capa de herói e formatamos a nossa mentalidade e a nossa vida para ganhar o mundo, custe o que custar. Assim, bravejamos, corremos e suportamos os desafios da vida, sacrificando muitas vezes a nossa saúde e as nossas relações. A força da juventude e o medo de fracassar fazem com que demos o máximo de nós. Com isso, passamos uma década ou mais tempo de nossas vidas no limite. Dormindo mal, comendo mal, vivendo mal. Sobrevivemos no extremo, na correria, presos à mentalidade maximalista: o máximo de empenho para obter o máximo de retorno. Envolvidos por essa máxima, achamos que não temos limites. Todavia, uma hora a conta chega e estoura principalmente em nossa saúde, com o diagnóstico de síndrome de Burnout.[6]

O que e
como fazer

Caso tenha sido diagnosticado ou perceba que está no caminho do esgotamento, procure ajuda profissional e tente mudar o seu estilo de vida, revendo rapidamente a sua mentalidade. Se você está

---

6 Síndrome de Burnout é um distúrbio psíquico de caráter depressivo, precedido de esgotamento físico e mental intenso. BRUNA, Maria Helena V. Síndrome de burnout (esgotamento profissional). Drauzio Varella. Disponível em: < https://drauziovarella.uol.com.br/doencas-e-sintomas/sindrome-de-burnout-esgotamento-profissional/ >. Acesso em: 10 maio 2020.

iniciando ou está no meio de sua carreira profissional, cuidado para não cair na armadilha da competição e do sucesso a qualquer preço. Busque orientação profissional e descubra outras maneiras de vender os seus talentos ao mundo, sem desrespeitar a sua saúde.

Pensamento minimalista nº 4: O visível pode revelar ou esconder quem você é

Ao modificarmos nossa mentalidade de maximalista para minimalista, passamos a tomar consciência sobre o visível que nos cerca, o visível que passamos a escolher de forma consciente, que fará parte do nosso estilo de vida. Passamos a primar mais por qualidade do que por quantidade. Tornamo-nos criteriosos com nossas escolhas, desde o que iremos vestir até sobre o que iremos comer. Tomamos consciência de que tudo o que nos cerca traduz, de certa forma, o que de fato valorizamos. Cada item que começa a fazer parte da nossa vida responde a algum propósito. Cada item que recusamos, que aprendemos a negar, fortalece o nosso compromisso. Se tivermos uma casa lotada de coisas, um guarda-roupa com as peças todas espremidas entre si e uma agenda lotada de atividades, estaremos dando sinais claros e visíveis ao mundo de que o minimalismo ainda está muito distante de nós. O visível revelará o tamanho dos desafios que ainda precisamos lidar. Porém, toda remoção impulsiva, movida por pressão ou modismo, sem uma reflexão verdadeira, pode até transmitir a ideia aparente de que somos minimalistas. Mas aqui vale alcançar o invisível, o que está por trás das aparências. Mesmo uma casa vazia, decorada com a estética minimalista e um armário-cápsula, pode estar escondendo o que realmente somos e que a mudança ainda não ocorreu na mente.

O que e
como fazer

O caminho é o autoconhecimento. O que e como fazer são apenas sugestões, pois a estrada da transformação é sua. O que recomendo é que tenha conversas honestas consigo mesmo, que isso ocorra com regularidade. Sugiro que, ao concluir a leitura deste livro, releia-o integralmente ou visite os pontos-chaves de que tomou nota. Também recomendo que converse com outros minimalistas. Não se pressione, não tenha pressa. Dê um passo de cada vez e busque de forma serena e lúcida o conhecimento.

Pensamento minimalista nº 5:
A sua história ainda não terminou

Caso esse seja o seu caso, não pense que agora é muito tarde para ingressar no minimalismo, pois a sua história ainda não terminou. Às vezes, parece que o trabalho será árduo. Admito, dependendo do seu grau de estilo de vida maximalista, pode ser que sim. Você provavelmente quer quebrar o orgulho e reconhecer quais crenças irracionais moveram a construção do seu mundo. E, com menor ou maior grau de dor, terá que desconstruí-lo. Apenas digo que nunca é tarde para mudar de vida e todo empenho nessa mudança valerá a pena não só por você, mas por todos que ama. Você tem a opção de deixar um legado muito maior do que a herança material para a sua família, se esse for o seu caso.

O que e
como fazer

Liberte-se do tempo cronológico que pode estar dizendo que agora é muito tarde para mudar. Foque o propósito da mudança. Desenhe um plano de mudança, considerando as pessoas que você ama e que serão impactadas por ele. Converse de forma aberta com elas. Revele os seus medos, reconheça os pensamentos que o guiaram até o estado maximalista. E diga a elas e a você mesmo quais são os pensamentos que passarão a orientá-lo em sua nova jornada de transformação. Peça ajuda às pessoas, seja humilde e as envolva. Dê um papel claro a cada uma delas. E, por fim, comece a execução do plano aberto ao feedback e à aprendizagem.

Pensamento minimalista nº 6:
Perdoe-se e recomece rápido

Toda jornada de transformação pessoal apresentará desafios. Como seres humanos, iremos errar. Existe uma tendência de nos cobrarmos, de nos sentirmos culpados por nossas falhas. Isso só tende a tornar o caminho muito mais pesado e difícil. Se, de antemão, reconhecermos nossa vulnerabilidade, mais leve será a caminhada. Não tente ser perfeito, não se cobre demais. Perdoe-se e recomece rápido. Não gaste muita energia lamentando-se ou punindo-se pelos erros. Mas também não os ignore. E, acima de tudo, aprenda rápido com eles. Você não precisa ser o seu próprio carrasco. Tenha compaixão de si mesmo, respeite seus limites e continue caminhando. Às vezes, a passada será mais larga. Em outras, serão mais rápidas e mais fáceis. Nunca desanime com os momentos difíceis.

O que e como fazer

Sugiro que leia o livro *A coragem de ser imperfeito*, de Brené Brown.[7] Caso prefira, assista antes a uma palestra dela no TED, com o título *O poder da vulnerabilidade*.[8] Sou apaixonado pelos ensinamentos de Brown, que contribuíram muito para minha caminhada, e tenho convicção de que a principal recomendação que posso deixar para você é aprender a perdoar-se e recomeçar rápido.

---

7 BROWN, Brené. A coragem de ser imperfeito. Rio de Janeiro: Sextante, 2016.

8 Id. The power of vulnerability. Jun. 2010. Disponível em :< https://www.ted.com/talks/brene_brown_the_power_of_vulnerability>. Acesso em: 02 jul. 2020.

Pensamento minimalista nº 7:
Liberte-se do peso dos outros

Se já não bastassem todos os desafios com que temos que lidar durante a nossa transformação pessoal, ainda tentamos levar também o peso da mudança dos outros. "Deslarga-te do peso dos outros" é o que sugere Rute Caldeira em seu livro *Simplifique a tua vida*. Caldeira nos alerta:[9]

> Confunde-se muito amor com responsabilidade e obrigações. É natural que, quando se ama alguém, se queira cuidar dessa pessoa, e isso é fantástico. Mas o problema está quando se começa a assumir as responsabilidades que dizem respeito ao outro; aí não estamos a falar de cuidar, nesse momento, estamos a sair do campo cuidar para entrar numa área de desamor, falta de respeito e sobrecarga para nosso corpo, para com as nossas emoções e para com a nossa felicidade.

Segundo a autora, as motivações podem estar localizadas em nosso subconsciente:

- Ser visto como herói;
- Procurar o reconhecimento e o amor do próximo;
- Refúgio dos próprios problemas;
- Preocupação excessiva e necessidade de controle;
- Não confiar na capacidade do outro;
- Necessidade de superiorizar.

O que e
como fazer

Pode ser que uma ou nenhuma dessas motivações inconscientes sejam reconhecidas. Mas a essência desse pensamento minimalista

---

9 CALDEIRA, Rute. *Simplifica a tua vida*. Lisboa: Manuscrito, 2017, p.143.

é: cuidado para não maximalizar sua vida com os problemas dos outros. Tenha compaixão, mas saiba qual é a linha que divide o que é seu do que é do outro. Parece um jeito frio de pensar, mas não é. Talvez seja o ato de amor mais humano que alguém pode tomar para o desenvolvimento próprio e do outro.

Pensamento minimalista nº 8:
"Realize" o prejuízo

Aprendi com o meu amigo Geraldo Leal de Moraes, um dos mestres e pais com que a vida me presenteou, o conceito de realizar o prejuízo. Esse pensamento me ajudou muitas vezes a realizar grandes mudanças na minha vida, muito antes de saber que existia um estilo de vida chamado minimalismo. "Realizar" o prejuízo significa aceitar o que já perdemos e tomar a decisão consciente de resolver a situação antes que o prejuízo seja maior. É como se tivéssemos sem capacidade para honrar o pagamento de um automóvel financiado e todos os meses atrasássemos uma parcela, incorporando consequentemente os juros. Então, enrolamo-nos um pouco mais e passamos a dever duas parcelas. Não "realizar" o prejuízo é deixar a bola de neve crescer até o ponto em que a dívida fica impossível de ser paga, perdemos o nosso automóvel e ainda ficamos com o nome sujo, perdendo o acesso ao crédito. Ou seja, o que era ruim, ficou muito pior. E por que deixamos isso acontecer? Uma das hipóteses possíveis chama-se orgulho. Não queremos demonstrar para o mundo que perdemos. Não queremos recuar. Não queremos perder o status que o automóvel nos proporciona. Não queremos perder nossa imagem de bem-sucedido. Esse orgulho faz com que milhões de pessoas desfilem com seus automóveis pelas ruas cheias de dívidas. Faz as pessoas ostentarem casas e viagens, mesmo que estejam quebradas financeiramente. A vida de aparência é uma das doenças do pensamento maximalista. Uma doença psicológica que, consequentemente, em algum momento, poderá trazer uma conta muito alta para a saúde física e para os relacionamentos.

O que e como fazer

Quebre o orgulho, reconhecendo os próprios limites. "Realize" o prejuízo antes que ele chegue a um ponto em que você não tenha mais capacidade de liquidá-lo. Não se deixe levar pela ilusão da ostentação. Não fique preso à necessidade de buscar aceitação e aprovação dos outros por meio das coisas que você possui. Exercite a humildade nas pequenas coisas, para que possa vencer as grandes. Torne essa prática um hábito de vida. Independentemente de quanto possa acumular em sua conta bancária, nunca perca de vista a humildade e a racionalidade.

A PREPARAÇÃO

Ao refletir sobre esses oito pensamentos, você estará configurando uma nova mentalidade. Desde o início deste livro, passamos a maior parte do tempo "amolando o machado", ou seja, preparando-nos para a ação, que se torna muito mais efetiva quando estamos prontos.

Com o tempo, você perceberá como mente minimalista move-se e decide com mais agilidade e leveza. Experimentará a liberdade e a clareza de cada decisão.

Começará a relacionar-se com o tempo de uma outra maneira, vivendo mais o estado presente.

Caminhará mais atento e reduzirá o tempo de reação quando as coisas não derem certo.

Perceberá que uma mente minimalista é uma mente mais focada, justamente porque removeu as tralhas e os pensamentos inúteis que sugavam a sua energia.

Aprenderá a viver mais tempo em estado minimalista, com a mente consciente, serena e criativa.

O estado minimalista é fixo? Não, pois somos humanos, imperfeitos e suscetíveis ao erro. O estado minimalista é um estado de aprendizagem contínua. Como vimos no pensamento minimalista número 6, o importante é nos perdoar e recomeçar rápido.

ALERTA: MINIMALISMO NÃO É TRATAMENTO

Todos nós, em menor ou maior grau, temos crenças irracionais que dificultam o nosso desenvolvimento e qualquer tentativa de mudança comportamental.

Algumas crenças irracionais estão no centro da nossa vida e impactam negativamente nossos pensamentos e comportamentos, prejudicando todas as nossas relações: com nós mesmos, com os outros e com o mundo.

Fomos moldados a acreditar que o ato de comprar e o prazer pelos bens materiais são maneiras de resolver as dores causadas pelas crenças irracionais. Tais crenças são alimentadas por crenças centrais, que ficam escondidas abaixo do nosso nível de consciência.

Pessoas com desvios comportamentais graves podem ter algum dos diversos tipos de patologia e precisam de ajuda profissional. Entre os tipos de patologias graves, está a compra compulsiva.

Compra compulsiva, ou oniomania, foi considerada pela OMS como um transtorno do controle do impulso, cuja característica essencial é a falha em resistir a um impulso, instinto ou desejo de realizar um ato que é prejudicial ao indivíduo ou a outras pessoas.

As características comportamentais da oniomania são:

- Preocupação excessiva e perda de controle sobre o ato de comprar;
- Aumento progressivo do volume de compras;
- Tentativas frustradas de reduzir ou controlar as compras;
- Comprar para lidar com a angústia ou outra emoção negativa;
- Mentiras para encobrir o descontrole com as compras;
- Prejuízos nos âmbitos social, profissional e familiar;
- Problemas financeiros causados por compras.

Deixo esse alerta com o objetivo de quebrar a falsa ideia de que o minimalismo é uma forma de tratamento contra o consumismo estimulado pela compra compulsiva. Por que estou abordando esse tema? Porque percebo que muitas pessoas querem encontrar respostas no minimalismo para questões emocionais e desvios comportamentais, como a compra compulsiva. Antes do minimalismo, quem reconhece que tem esse tipo de problema deve recorrer à ajuda profissional.

Quando a pessoa recuperar o equilíbrio, o minimalismo será uma excelente ferramenta para apoiar a criação de um estilo de vida consciente, simples e sustentável. Quem não quer tocar na raiz do problema tende a usar o minimalismo apenas como muleta para camuflar questões mais ocultas do próprio comportamento.

Desculpem o grau de franqueza, mas não há maneira mais suave de transmitir essa mensagem. É o que os especialistas dos doze passos chamam de amor exigente.[10] Só quem já lidou na prática e de perto com alguém com algum transtorno compulsivo, que é o meu caso, talvez acolherá com mais receptividade o meu alerta.

Enfim, está chegando a hora de colocar a mão na massa. No próximo capítulo, apresentarei dez dicas práticas para você fazer uma revolução minimalista na sua vida e na sua casa.

> Mente minimalista é uma mente livre de crenças disfuncionais que nos afastam de uma vida consciente.
> **#menteminimalista**

---

10 Você também pode conhecer um resumo dos doze passos neste site: ‹https://amorexigente. org.br/principios/›. Acesso em: 15 maio 2020. ‹texto da nota de rodapé›

QUESTÃO
Você tem alguma crença irracional que limita o seu desenvolvimento?

REFLEXÃO
Qual pensamento você meditará para clarear ainda mais o seu propósito de vida?

AÇÃO
Tire um dia ou um período da semana para ficar livre e sozinho. Sem celular, sem nada que o distraia. Simplesmente sente em algum lugar ou caminhe sem pressa, de preferência em uma praça ou um parque, e observe.

Observe discretamente cada pessoa. Se possível, cumprimente-as com um sorriso. Tente imaginar como será a vida delas. Quais serão as histórias de vida? As dores? Os sonhos?

É só isso. O objetivo deste exercício é esvaziar a mente e se esquecer de si.

10
DEZ PRÁTICAS MINIMALISTAS PARA COMEÇAR JÁ

Uma visão sem ação não passa de um sonho.
Ação sem visão é só um passatempo.
Mas uma visão com ação pode mudar o mundo.

JOEL BARKER

A citação acima tem orientado o meu caminho de aprendizagem desde que a conheci em 1992, no meu segundo ano de faculdade em administração. Antes de me engajar em qualquer projeto ou iniciativa, passei a questionar qual seria a visão que iria guiar os meus esforços. Não foi diferente quando decidi abraçar o maior projeto de todos: a decisão de mudar meu estilo de vida.

Compartilharei dez dicas práticas neste capítulo com dois objetivos:

1. Amadurecer o seu propósito de vida no minimalismo;
2. Ajudá-lo a criar novos hábitos para desenvolver uma mentalidade minimalista consciente e consistente.

Prática minimalista nº 1:
Recolha todas as tralhas
e livre-se delas sem dó

Planeje o dia do mutirão em família. Se você mora sozinho ou divide a moradia com alguém, prepare-se para o mesmo objetivo. Você pode pedir algumas caixas de papelão em algum supermercado, loja de atacado ou comércio perto da sua casa. Sempre fiz isso nas minhas ações de destralhe e desapego quando precisei mudar de casa, no Brasil e nos Estados Unidos. Além das caixas de papelão, compre pelo menos duas fitas adesivas e uma caneta piloto. Você pode separar e escrever em cada caixa qual é o conteúdo e se ele é reciclável. Caso prefira, você também pode usar sacos de lixo. Nesse caso, é bom ter um grampeador para prender um papel com a indicação.

Passo a passo

1. Conversem e tenham clareza sobre tudo o que é lixo. Se quiser, voltem ao capítulo anterior e revisem os exemplos de lixo que estão listados;
2. Cada membro da família deve, primeiro, separar os itens pessoais. Essa é a melhor tática de engajamento e desenvolvimento de uma consciência minimalista;
3. Após os itens pessoais, o ideal é que todos da família percorram cômodo por cômodo e decidam juntos o que é tralha;
4. Planejem como será o descarte do que é e do que não é reciclável. Se possível, leve os filhos para a ação de descarte;
5. Após o descarte, façam uma refeição juntos e conversem sobre a sensação.

Prática minimalista nº 2:
Faça um inventário minimalista

Cômodo por cômodo, área por área, façam um inventário minimalista e apliquem o método Tesouro, Transferência e Dúvida (TTD), sendo que:

- **Tesouro**: tudo aquilo que você tem certeza de que irá ficar. Esse item responde a quatro critérios: funcionalidade, alta afetividade, durabilidade e estética (beleza). Quando existir uma combinação desses quatro elementos, ficará mais fácil classificar o item como tesouro. Contudo, mesmo que o item atenda somente a um dos critérios, você é quem decide se é tesouro ou não;
- **Transferência**: tudo aquilo que você tem certeza de que irá embora, seja por meio de doação ou venda;
- **Dúvida**: tudo aquilo que você ainda tem dúvida se é tesouro ou transferência.

Considerações antes da ação

Cuidado para não transferir um item (doá-lo ou vendê-lo) só para justificar o desejo de comprar outro. Não é proibido fazer isso, mas lembre-se de que isso não é minimizar, é substituir.

Os itens que irão para a caixa de dúvidas devem ficar pelo menos trinta dias longe do seu campo de visão. O ideal é que eles fiquem três meses.

Passo a passo

1. Primeiro, separem e classifiquem os itens pessoais: roupas, calçados, acessórios, equipamentos, instrumentos, livros, apostilas, materiais esportivos etc.
2. Sobre as roupas, sugiro que coloque todas as peças em cima da cama. Todas devem estar no seu campo de visão. Faça o

mesmo com os calçados, coloque todos um ao lado do outro no chão.

3. Decida o que será vendido e o que será doado. Vocês podem fazer um bota-fora em casa (bazar) e divulgar a data para amigos e vizinhos ou vender alguns itens em brechós ou para lojas de artigos usados. Os itens de doação devem estar em bom estado. Se você for doar algum item que precisa ser consertado, costurado ou lavado, faça isso antes da doação. Se não serve para você do jeito que está, também não serve para o outro. Pense nisso.

4. Após os itens pessoais, visitem cada cômodo ou área da casa e, juntos, decidam o que fazer com os objetos. A decisão conjunta pode ser mais lenta, mas, em contrapartida, ela é mais democrática e gera mais engajamento.

5. Faça um inventário em cada cômodo ou área, anotando todos os itens em alguma das três colunas: Tesouro, Transferência (doação ou venda) e Dúvida.

Decida onde será armazenada a caixa de dúvida. Tudo deve estar bem protegido ou embalado, para não quebrar, mofar ou pegar pó.

6. Transforme esse dia em um evento. Coloque uma boa música, tire fotos dos itens e, em família, curta o processo.

Prática minimalista nº 3: Coloque cada coisa em seu devido lugar

Em uma casa abarrotada de objetos, é normal encontrarmos coisas que são da cozinha, por exemplo, guardadas no armário do quarto. Essa ação é extremamente necessária e deve provocar uma verdadeira revolução na casa. Ela é essencial para estabelecer ordem.

Passo a passo

1. Objetos pessoais ou peças de roupa guardados em armários de outras pessoas, nas gavetas da sala ou em outros compartimentos da casa devem voltar para o espaço do seu devido dono. Ah, mas o dono não tem espaço! Falaremos sobre isso logo a seguir.

2. Assim como cada item pessoal, cada objeto da casa também deve ir para o seu devido cômodo. Pratos na cozinha ou, no máximo, na sala de jantar, por exemplo. De novo, se esses lugares não tiverem espaço, leve-os para o devido cômodo mesmo assim.

3. Chegou a hora de decidir sobre a categoria "outros", aqueles itens que são de uso coletivo ou individuais e que nunca tiveram um local específico. Exemplos: guarda-chuva, chaves, carregadores de celular, controle remoto, documentos, contas, remédios, cosméticos, perfumes. Para eles, sugiro quatro alternativas, na seguinte ordem de prioridade:

   a. Faça um segundo inventário minimalista usando a técnica TTD;

   b. Tente organizar os objetos de forma que caibam no seu devido cômodo;

   c. Se faltar espaço, sugiro que providencie um meio de armazenamento mais econômico e mantenha as coisas em seus devidos cômodos;

   d. Se nenhuma das alternativas anteriores puder ser atendida, os itens podem ser armazenados em outros cômodos/áreas da casa.

Quanto mais se flexibilizar essa prática, menos minimalismo estará sendo praticado, ou seja, o minimalismo se transforma em "comododismo", que é a arte de acomodar as coisas onde elas não deveriam estar.

Prática minimalista nº 4:
Oito diretrizes minimalistas para a sua casa

Antes de começar a atacar cômodo por cômodo da sua casa, você precisa considerar quais diretrizes irá seguir. Como vimos no capítulo 8, no tópico "Moradia minimalista", a primeira diretriz é definir qual é o propósito da moradia, além das funções básicas, como abrigo, proteção, repouso e sensação de segurança. Caso necessite, releia-o.

Diretrizes não são regras, usufrua das informações a seu gosto.

Diretrizes

1. Um estilo de vida mais simples prioriza apenas o que é essencial;
2. Privilegiar a criação de ambientes que cumpram a função de cada cômodo;
3. Ambientes minimalistas valorizam espaços livres para circulação, limpeza visual e tranquilidade, para que o lar seja um refúgio em contraponto ao caos visual e ao excesso de barulho e informação;
4. A decoração e a disposição dos móveis devem dar fluidez para os nossos movimentos, ao mesmo tempo que criam um ambiente aconchegante e funcional;
5. O foco não está no que sai, mas sim no que fica. Cada item deve atender aos critérios de qualidade, funcionalidade, afetividade e beleza;
6. O belo, para ser notado e valorizado, precisa de um espaço de destaque, sem concorrer com outros elementos visuais que sugam a sua beleza;
7. Sempre que possível, a luz natural deve ser priorizada. Ela deve invadir a casa por completo. Para isso, os espaços devem ser organizados de forma a desobstruir ao máximo a passagem de luz;

8. As cores devem ser simples, privilegiando o branco. Não é só uma questão de estética, é técnica, porque o branco funciona como difusor de luz natural. Sim, você pode montar uma paleta de cores da sua preferência, mas lembre-se de deixar o branco predominar. Saiba também que cores escuras causam o efeito de diminuição do espaço.

Prática minimalista nº 5: Minimizando os ambientes

Como já mencionado, cada cômodo tem uma função básica, além de outras que podemos atribuir. Vamos usar a sala de estar como exemplo. Como o próprio nome já diz, a sua sala é um lugar onde as pessoas deveriam gostar de estar.

Francine Jay[1] sugere que façamos o seguinte exercício:

> Saia e passe alguns minutos fora de casa. Quando voltar e entrar pela porta, finja que você não mora lá. Entre como se fosse uma visita, com olhos novos e uma perspectiva objetiva. E, então, qual é a sua primeira impressão? Você gosta do que está vendo? A sua sala de estar é apaziguadora e convidativa? Ou ela é caótica e abarrotada, fazendo com que você queira sair correndo? Mais importante: você teria vontade de entrar, se sentar e ficar nela?

Becker[2] estimula a nossa reflexão quando diz que "os relacionamentos são a 'vida' do 'corpo' que é uma casa. E a sala, o nosso principal espaço de convivência". Sobre a disposição dos móveis da sala, o autor nos faz uma pergunta provocativa: "Ela promove a interação familiar ou simplesmente direciona todos os olhos para a televisão? É isso que você quer? ". Essa provocação também serve para quando estivermos recebendo as nossas visitas. O que o autor

---

1 JAY, 2016, p. 91.
2 BECKER, 2019, p. 50.

quer dizer é que a disposição dos móveis e como preenchemos o espaço pode sugerir quais são as nossas intenções. Como na minha casa não tem TV, o sofá, as cadeiras e uma plataforma que percorre de lado a lado uma das paredes da sala com almofadas formam a letra "U".

Preencho o ambiente com alguns livros, um toca-discos, uma dúzia de LPs da minha preferência, um porta-retratos digital com fotos de algumas viagens, um violão, um ukulele pendurado na parede e uma rede. Intencionalmente, tudo está distribuído para criar um ambiente que, em primeiro lugar, aprecio e faz bem para mim. E, em segundo lugar, que ofereça um aconchego e uma experiência cultural diferente. Sem TV, o silêncio, para alguns, pode se tornar constrangedor. E esse constrangimento faz a pessoa levantar muitas vezes do sofá e pegar um livro, ou mexer nos discos, ou comentar uma foto. Pronto, a falta da TV foi preenchida com o que, na minha opinião, tem muito mais valor: uma boa conversa. Afinal, para as visitas, será apenas um dia ou uma noite sem TV. E, para mim, todos os objetos que preenchem o ambiente têm a função de destacar e revelar as pessoas.

Passo a passo

1. Libere as tralhas e execute as Transferências;
2. Mantenha somente os Tesouros;
3. Organize o ambiente, cada coisa em seu devido lugar;
4. Aproveite o que quiser das diretrizes da prática minimalista número 4;
5. Destaque as pessoas, não os objetos;
6. Deixe visível aquilo que privilegie a cultura que deseja promover no ambiente;
7. Mantenha e decore o ambiente com os itens mais significativos;
8. Pense em cada função da sua sala e dê prioridade aos itens que preencham o espaço de forma funcional, com leveza e beleza. A rede que colocamos na sala está em um ponto estratégico para respirar o ar fresco do fim de tarde, mas fica em um canto

que não atrapalha a circulação. E, é claro, pode ser removida e guardada a qualquer momento.

Prática minimalista nº 6: Se possível, use móveis inteligentes, multifuncionais

Se possível, priorize móveis multifuncionais e flexíveis. Por exemplo, na sala, tenho um sofá-cama bem confortável, que pode transformar o ambiente em um dormitório. Além disso, instalei rodízios de silicone com travas nos pés do sofá. Isso facilita muito para reorganizar o *layout* da sala rapidamente, sem fazer força ou correr o risco de riscar o chão. Também facilita o momento da limpeza. Instalamos na sala, ainda, duas pranchas de madeira que ficam fixas e recolhidas na parede e que servem como mesa de jantar. Quando precisamos da mesa, descemos uma ou as duas pranchas e as apoiamos em um cavalete leve e flexível que fica guardado em um suporte de parede na lavanderia. Montagem e desmontagem duram menos de um minuto. Qual o benefício? Quando não estamos utilizando a mesa, as pranchas ficam recolhidas, decorando a sala e abrindo espaço para a circulação.

Também confeccionamos uma bancada de apoio com regulagem de altura, que pode ser usada na cozinha como apoio durante o preparo da comida e depois é facilmente levada para a sala de jantar para servir de apoio para as refeições. Essa mesma bancada é um carrinho feito sob medida com largura e vão livre para correr por cima da cama. Como a altura é regulável, podemos usá-lo para tomar o café da manhã ou fazer outras refeições na cama. Outras opções para o carrinho de apoio são trabalhar na cama ou assistir a um filme por algum serviço de *streaming* direto no notebook – principalmente porque em casa não temos TV. Essas são algumas ideias, use da sua criatividade e aplique o que fizer sentido para você.

Passo a passo

1. Pesquise ideias criativas em sites e canais do YouTube sobre decoração e móveis multiuso;
2. Adapte as ideias às suas necessidades;
3. Pense bem e invista em material de qualidade para que as ideias sejam práticas e duráveis.

Prática minimalista nº 7:
Mantenha as superfícies livres

Tanto Becker quanto Jay trazem essa dica. Becker diz:[3] "Limpe as superfícies planas. E, se estabelecer uma meta pode ajudá-lo, tente remover 50%", acrescenta o autor. Jay[4] é mais incisiva:

> Todas as superfícies devem estar vazias, elas não servem para armazenar. As únicas exceções são os objetos, cujo lugar é aquela superfície específica – como o vaso e o candelabro de uma mesa de jantar ou os abajures de leitura de uma mesa lateral. Mesmo assim, se você for permitir móveis funcionais e decorativos no mesmo espaço, limite esse número a, no máximo, três objetos permanentes por superfície. Isso vai impedir que a bagunça se acumule nesses lugares.

Passo a passo

1. Mude a maneira como você pensa sobre as superfícies. Criamos o hábito de despejar o que temos em nossas mãos sobre elas quando chegamos em casa. Vencer esse hábito requer mudança de mentalidade, atenção e liberdade para cooperação mútua dentro de casa.

---

3 BECKER, 2019, p. 56-57.
4 JAY, 2016, p. 66-68.

2. Olhe ao seu redor e perceba quais superfícies são problemáticas. Faça isso em todos os cômodos, inclusive na pia ou nas bancadas da cozinha.

3. Pense no trabalho que dá remover todos os itens que ficam na superfície no momento da limpeza. Talvez nunca tenha pensado nisso, pois não é você quem limpa. Já vi casas com vinte porta-retratos em uma bancada na sala. Fiquei imaginando quanto tempo levava para limpá-los, retirá-los para limpar a bancada, colocá-los na mesma ordem que estavam e tomar cuidado para não deixar nenhum cair no chão. Só de pensar, cansei.

4. Enfim, com base nos critérios deste livro e outros pessoais que você possa imaginar, repense as superfícies da sua casa. Inclusive, o chão também é uma superfície, e a mais atrativa de todas para gerar bagunça. Fique alerta.

Prática minimalista nº 8:
Experimente viajar de avião só com uma mochila

Liberte-se das malas, do transtorno de puxá-las, guardá-las e retirá-las do porta-malas de um carro, das taxas para despachá-las, do tempo de despache e retirada e da necessidade de ir até o hotel deixar as malas, em vez de parar no primeiro café ou restaurante e relaxar. Esses são alguns benefícios, entre outros, de viajar apenas com o essencial em uma mochila. Por quanto tempo? Já cheguei a ficar sessenta dias.

Passo a passo

1. Pesquise um modelo de mochila cujos volume e tamanho sejam compatíveis com a sua altura, o seu peso e a sua força.

2. Coloque todos os itens que levará para a viagem em cima da cama.
3. Pesquise vídeos na internet de como organizar e compactar as roupas e demais itens.
4. Priorize tecidos leves e que não amassem.
5. Dependendo da temperatura do lugar, tenha um bom casaco de frio.
6. Se ele fizer muito volume na mochila, vá vestido com ele ou carregue-o. Normalmente, o ar condicionado do avião é bem gelado.
7. Deixe separado o *kit* que irá vestido (roupas, calçado e acessórios).
8. Se você está cansado de algumas roupas ou se estão quase virando lixo, talvez seja uma boa alternativa levá-las para a viagem. Camisetas que você pode usar por baixo de uma blusa, roupas íntimas que estão desgastadas, um calção ou uma bermuda de que você gosta muito, mas estão esgarçadas, desbotadas ou manchadas. Mas, Gianini, você está me aconselhando a levar roupas velhas para a viagem? Sim. Mas me deixe explicar o motivo. Essa muda de roupas velhas é para você usar após o banho, em casa ou antes de dormir. É claro que você irá levar um *kit* de roupas boas, as roupas velhas você irá dispensar durante a viagem, para voltar com a mochila mais leve. Ou, se for o caso, você pode aproveitar a viagem para substituir as roupas velhas por roupas novas que, normalmente no exterior, tendem a ser mais baratas que no Brasil. Essas possibilidades são apenas sugestões. Eu já pratiquei todas e digo que vale a pena.
9. Descubra se há lavanderia na hospedagem ou onde fica a mais próxima. Compare preços e considere lavar a roupa íntima durante o banho. Não é só questão de economia, essa é uma prática normal para europeus e estrangeiros e, em geral, para aqueles que viajam de mochila. O brasileiro é praticamente o único povo que se sente inferiorizado, é uma questão de mudança de *mindset*. Mas Gianini, vou viajar para a França e lavar as minhas calcinhas no chuveiro? Afirmativo, essa é

uma opção. Viajar de mochila tem vários benefícios, mas, em contrapartida, existem os "custos" dessa opção. Pese tudo na balança e decida o que prefere. Não dá para abarrotar a mochila de itens e não conseguir carregar.

10. Faça um teste. Encha toda a mochila um ou dois dias antes da viagem e caminhe de vinte a trinta minutos nas ruas em volta da sua casa. Pode caminhar quinze minutos em um dia e 25 no outro. Não se iluda como muitos que enchem a mochila, colocam-na nas costas no quarto de casa e dizem: "Dá para carregar". Vá por mim, um teste de trinta segundos parado é totalmente diferente de um teste de pelo menos quinze minutos caminhando.

11. Quando você experimentar todos os benefícios de uma viagem com mochila, nunca mais vai querer despachar uma mala. Sair do aeroporto, pegar um transporte público até um bairro bacana e já sair passeando sem ter que ir até a hospedagem, deixar as malas, tomar banho e trocar de roupa, para mim, não têm preço. Viajar é saber aproveitar o tempo com a bagagem leve. Isso é uma viagem minimalista.

12. Mas, Gianini, e as crianças? Não sei qual é a idade dos seus filhos, mas, desde cedo, ensine-os a fazer e a carregar a própria mochila. É claro, se forem bebês, aproveite o momento e faça o que for possível para viajar o mais leve possível com os seus itens, já que terá outros para carregar. Lembro até hoje de um casal com três filhos pequenos, uma escadinha na faixa de três, cinco e sete anos. Todos puxando as suas mochilas com rodinhas.

Prática minimalista nº 9:
Profissionalize o seu *home office*

O *home office* já era uma tendência para muitas profissões e atividades. O que a crise de 2020 fez foi acelerar esse processo de maneira forçada. Com isso, empregadores e empregados experimentaram os custos e benefícios desse modelo. Enquanto escrevo este livro, ainda não sei quais serão os efeitos dessa experiência para os dois lados. Como a experiência pelo lado do empregado foi testada diante de uma crise, compartilhando o espaço de trabalho com toda a família, não sei se, para alguns, será um trauma ou uma das oportunidades inesquecíveis de trabalhar em casa, evitar trânsito e estar perto da família, mesmo que em um contexto de crise. O que sei é que nem todos têm o perfil para isso e que ninguém pensa da mesma forma. Entretanto, o teste pode ter servido para considerar a necessidade de ter um espaço de trabalho mais profissional em casa, priorizando o conforto e a praticidade necessários.

Passo a passo

1. Se já possui um *home office*, minimize-o usando as técnicas e diretrizes das práticas anteriores;
2. Caso não tenha, escolha o melhor lugar para fazer um;
3. Considere uma cadeira confortável e uma boa iluminação. Se puder, um abajur ou uma luz focal flexível presa à parede;
4. Sugiro uma bancada feita de prancha de madeira, fixada em um par de mãos-francesas dobráveis. Mas é só uma ideia. Quando não estiver usando a mesa, pode recolhê-la e liberar espaço de circulação. Ao recolhê-la, você evitará o hábito de deixá-la bagunçada. A outra vantagem dessa sugestão é deixar o chão livre;
5. Livre-se de tudo que possa roubar a sua atenção. Deixe a decoração limpa;
6. Tenha o mínimo possível de prateleiras e só deixe nelas o que for essencial para o seu trabalho. Não as preencha de livros e materiais que você não usa só para servir de decoração;
7. Não acumule canetas de brindes, *post-its*, canetinhas coloridas ou qualquer outro item de escritório que você acha que um dia irá usar;
8. Se possível, use todos os acessórios sem fio. Caso não seja possível, dê um jeito de esconder os cabos;

9. Tenha um estojo ou uma bolsa portátil para acessórios e adaptadores como passador de *slide*, *pen-drive* (se ainda existirem), cartões de memória, cabos etc.;
10. Elimine ao máximo o uso de papel, se você conseguir;
11. Evite gavetas e armários. Quanto mais compartimentos você tiver, maior a chance de acumular bagunça;
12. Digitalize documentos todas as semanas e organize os comprovantes de pagamentos em pastas específicas;
13. Crie uma rotina de *backup* e armazenamento nas nuvens;
14. Remova o máximo de ícones da área de trabalho do seu computador;
15. Desinstale *softwares* de que não precisa;
16. Cancele os cadastros em *newsletter*;
17. Faça a manutenção dos seus dispositivos com regularidade;
18. Tenha um HD externo;
19. Crie um espaço agradável que estimule a sua criatividade e que contribua com a sua produtividade. Um espaço que seja fácil de manter organizado e agradável para que você tenha prazer em trabalhar.

Prática minimalista nº 10:
Dê uma geral em seu carro

Eis aqui um grande desafio. Para muitas pessoas, o carro é uma extensão de várias áreas da vida, é onde toda a bagunça se encontra. Uma mistura de escritório, quarto de bebê, mesa de fast-food, porta-trecos em geral, guarda-roupas, sapateira, casinha de cachorro, *kit* de viagem, caixa de ferramentas etc.

Normalmente, o automóvel é o lugar onde somos mais tolerantes com bagunça, e com isso relaxamos e as tralhas se multiplicam. Ele é um dos espaços mais dinâmicos do nosso dia a dia, e, se não tomarmos cuidado, será um entra e sai constante de tranqueiras.

Mudar os hábitos que envolvem a bagunça geral promovida em um automóvel requer firmeza de propósito e disciplina. Qual é a má notícia? Muitos tratam o carro como o esconderijo secreto de suas bagunças e não reconhecem a necessidade de colocar uma ordem nisso. Como sabemos, mudar de hábito é um desafio. Em reforço à má notícia, é que os hábitos ruins podem se estender com facilidade para outras áreas da nossa vida. Portanto, o objetivo é estancar essa fonte de bagunça de uma vez por todas.

Passo a passo

1. Decida: você quer organizar esse espaço ou não? Em caso negativo, não precisa ler os itens abaixo;
2. Se sim, comece recolhendo tudo que está no carro, zere todos os compartimentos, levante os bancos. Jogue fora tudo o que for lixo e guarde o restante em uma sacola;
3. Leve o carro para lavar;
4. Defina os itens e o local para tudo o que entra e sai do carro, todas as vezes que usá-lo. Exemplos: celular, carteira, óculos, documento, guarda-chuva, mochila, pasta e carregadores;
5. Nos primeiros meses, organize o carro pelo menos três vezes por semana;
6. Tenha sempre um saquinho de lixo;
7. Tenha um envelope plástico pequeno no porta-luvas para guardar recibos e cupons fiscais, caso você tenha o hábito de pedi-los em suas compras;
8. Mantenha no porta-luvas e em outros compartimentos do carro somente o essencial;
9. Lave o carro com a regularidade adequada para o seu estilo de vida e considere a questão do consumo da água. Tente achar alternativas mais sustentáveis;
10. Mantenha essa rotina até que a limpeza e a organização do seu carro virem um hábito.

Incorporando a essência deste capítulo, você pode estender as dicas e práticas para todas as áreas da sua vida e para todos os cômodos e áreas da sua casa: quarto, cozinha, área de serviço, despensa, garagem, sótão, varanda e quintal. Uma dica valiosa que eu sugiro que você elimine da sua vida é o famoso cantinho da bagunça. Sugiro que substitua por "cantinho de apoio". Um lugar que te apoia a guardar de forma organizada, temporária ou permanente, alguns itens pessoais ou da casa. Talvez alguns itens que não cabem nos "cômodos originais". Nesse cantinho de apoio podem estar ferramentas, cadeiras de praia, guarda-sol, barraca e colchão de acampamento, caixa de documentos etc.

Assim como fizemos com o exemplo da sala de estar, lembre-se de que cada cômodo da sua casa pode ter um propósito, além de sua função básica. Exemplos:

- Quarto: repouso, oração, leitura, meditação e vida íntima;
- Sala de estar: entretenimento, convivência, acolhimento e boas conversas;
- Banheiro: necessidades de higiene e beleza e também pode ser mais um lugar para refletir e relaxar;
- Cozinha: preparar a refeição, comer as refeições, armazenar os utensílios, comidas, bebidas e compartilhar memórias, aromas, sabores, conhecimento e sentimentos;
- Escritório: ambiente de concentração, criatividade, administração doméstica e produtividade.

Dica
de ouro

Recomendo que não deixe TV nos quartos, pois isso pode provocar distanciamento e esfriar as relações familiares. E, no caso dos casais, diminuir a frequência e a qualidade da vida sexual. Só esse último argumento, na minha visão, já merece uma atenção imediata. Esposas, comentem esse item com os seus maridos.

> Movimente-se, dê
> fluidez e revigore
> a sua vida.
> **#menteminimalista**

QUESTÃO
Qual prática é a mais desafiadora para você?

REFLEXÃO
Qual prática é mais necessária neste momento?

AÇÃO
Escolha a prática mais fácil de começar e estabeleça uma data para começar e terminar. Avance!

11

MINIMALISMO E APRENDIZAGEM

Eu quero desaprender para aprender de novo. Raspar as tintas com que me pintaram. Desencaixotar emoções, recuperar sentidos.

RUBEM ALVES

O objetivo deste capítulo é relacionar minimalismo com aprendizagem, considerando dois pilares:
- Desenvolvimento pessoal e profissional;
- Modelo de aprendizagem minimalista.

A hipótese que defendo é que uma mente minimalista aprende mais.

DESENVOLVIMENTO PESSOAL E PROFISSIONAL

Ao adotar o estilo de vida minimalista, podemos aumentar o nosso potencial para aprender e crescer interiormente. O minimalismo nos ensina a minimizar em muitas áreas, para que possamos maximizar o desenvolvimento do nosso potencial em uma vida mais significativa.

A abordagem que proponho é integrativa em todos os sentidos. Primeiro, quando falamos em aprendizagem, não existe mais – ou talvez nunca tenha existido – essa separação entre desenvolvimento pessoal e profissional, pois tudo que aprendemos pode se refletir naquilo que fazemos.

Existe uma abordagem que está sendo disseminada, conhecida como *lifelong learning*, ou aprendizagem ao longo da vida.

Abaixo, três apelos que são utilizados para adotarmos esse modelo de aprendizagem:

- Os processos de trabalho e modelos de produção evoluem em um ritmo frenético;
- Existe um aumento do nível de competitividade entre pessoas e organizações;
- Precisamos aderir ao modelo de educação continuada para sobreviver e se destacar neste mundo em constante transformação.

Qual desses apelos tem relação com o estilo de vida minimalista que estou propondo neste livro? Nenhum.

Não é por nenhum desses apelos que defendo que minimalistas também precisam aprender ao longo da vida, pois eles estão representando o *mindset* do hiperconsumismo, que vai na contramão de uma vida minimalista.

Aprender ao longo da vida é um processo natural e evolutivo da humanidade e deve atender às questões essenciais para promover uma vida sustentável, saudável e equilibrada.

Concordo com o modelo, mas discordo dos motivos pelos quais ele está sendo disseminado. Da forma que é vendido, ele fortalece o paradigma atual, pressiona-nos a ter que aprender como se fosse uma obrigação para sobrevivermos.

Mas o que o modelo diz na prática?

Que nós devemos cultivar o espírito de aprendizagem em todos os momentos da vida.

COMO O ESTILO MINIMALISTA POTENCIALIZA A APRENDIZAGEM

Quando removemos os excessos de objetos, afazeres, informações e relacionamentos que nos distraem, em tese, obtemos quatro tipos de recompensa: ganhamos mais **espaço** e **tempo** e economizamos **energia mental** e **dinheiro**. A combinação desses quatro benefícios cria um potencial imenso para a nossa aprendizagem. Observe as quatro aplicações práticas que o minimalismo pode propiciar.

Espaço: podemos criar um espaço em casa, exclusivo para aprendizagem, um ambiente confortável, leve e organizado onde possamos ter mais concentração para ler um livro, assistir a um vídeo, ouvir um *podcast*, fazer um curso on-line, uma sessão de coaching ou mentoria ou realizar uma videoconferência. Podemos usar os preceitos minimalistas para criar um espaço de estudo e aprendizagem que sirva para todas as pessoas da casa. Gosto de chamar esse lugar de estúdio de aprendizagem.

Tempo: ao nos liberarmos intencionalmente de atividades que roubam o nosso tempo e não geram valor, podemos destinar parte do tempo que sobra para a aprendizagem. É claro que o valor e o grau de interesse para a aprendizagem podem variar de pessoa para pessoa. Assim como também a forma que preferem aprender.

A leitura de livros, por exemplo, um dos meios mais comuns de aprendizagem. Infelizmente, no Brasil, continua com um índice muito baixo quando comparado ao de países desenvolvidos.

A quinta edição da pesquisa Retratos da Leitura no Brasil,[1] promovida pelo Instituto Pró-Livro e publicada em 2016, revela que 44% da população não lê, 55% nunca comprou um livro e que o

---

1 RODRIGUES, Maria Fernanda. *Pesquisa Retratos da Leitura cresce e começa a ser feita no Brasil todo. O Estado de S. Paulo, São Paulo. 7 nov. 2019. Cultura.* Disponível em: ‹https://cultura. estadao.com.br/noticias/literatura,pesquisa-retratos-da-leitura-cresce-e-comeca-a-ser-feita-no-brasil-todo,70003078440›. Acesso em: 22 abr. 2020.

índice de leitura real é de 2,43 livros por ano, considerando aqueles que foram lidos até o fim.

A primeira razão apresentada pelos leitores como obstáculo para o aumento do número de livros lidos é a falta de tempo (43%). Ou seja, o benefício de ganho de tempo promovido pelo minimalismo será uma das alternativas para aumentar o índice de leitura e aprendizagem no Brasil.

Energia mental: aprender representa um exercício mental. Por mais simples e distraída que seja uma leitura, ela não é passiva. O ato de ler é dinâmico e requer esforço cognitivo. Ler consome energia mental.

Em tese, quem adere ao estilo minimalista economiza energia mental por evitar excesso de distrações e informações inúteis, criando uma reserva de energia que poderia ser direcionada para atividades de aprendizagem, por exemplo.

Dinheiro: um dos benefícios de quem utiliza o minimalismo como ferramenta para simplificar a vida é criar um estilo de vida mais econômico e sustentável. Na prática, a economia financeira cria oportunidades para investir em educação.

Em vez de gastar com objetos ou serviços desnecessários, quando aprendemos a viver com o suficiente, podemos direcionar o que sobra para investir em livros, cursos ou qualquer experiência que gere crescimento pessoal e profissional.

Não minimize conhecimento, esta é a frase que uso em minhas redes sociais para estimular os meus seguidores a buscarem desenvolvimento contínuo. A educação é um investimento que cria condições para garantir a manutenção de um estilo de vida minimalista. Ela amplia o autoconhecimento, desenvolve novas habilidades e nos instrumentaliza para lidar com os desafios inerentes à vida.

Como minimalistas aprendem

De vez em quando, deparo-me com os seguintes questionamentos: "É possível aprender a ser minimalista? Faz sentido ter um curso para isso?".

Confesso que essas perguntas me intrigam. Infelizmente, algumas pessoas, equivocadamente, interpretam que simplificar a vida seja "algo simples". E, se é simples, por que preciso investir em um curso para isso? Felizmente, você que comprou este livro pensa diferente desse grupo.

Joshua Becker relata que, toda vez que lança um curso on-line, inevitavelmente alguém posta um comentário dizendo: "Quem precisa de um curso de minimalismo? Isso é moleza. Basta jogar fora tudo que você não precisa".[2] Ele diz que fica chateado toda vez que lê um comentário como esse. Eu também ficaria.

Da mesma forma que o autor, entendo que, talvez, algumas pessoas sejam capazes de seguirem sozinhas, sem dificuldades. Porém, infelizmente, a aprendizagem autodirigida ainda não faz parte da maioria da população no Brasil. Além disso, tornar-se minimalista não pressupõe um caminho convencional de aprendizagem, porque acima de tudo, requer uma mudança de *mindset*.

Há dez meses iniciei o trabalho de divulgação do minimalismo em algumas redes sociais, começando pelo meu canal no YouTube. Além desse canal, administro grupos no Facebook e no Telegram. Em todos eles, mantenho uma enquete sobre o perfil dos seguidores. Veja o resultado em 22 de abril de 2020:

39%	Ainda não sou minimalista, sou apenas simpatizante, por enquanto.
39%	Minimalista iniciante, comecei há pouco tempo.
14%	Comecei no minimalismo há dois anos, aproximadamente, mas ainda tenho muito o que aprender.
8%	Sou minimalista há muito tempo (mais de três anos), mas sempre há o que aprender.

Tabela 11.1

Fonte: O autor.

2 BECKER, 2019, p. 22.

Além disso, é muito comum encontrar comentários assim: "Mais uma vez, aprendi muitas dicas que podem fazer a diferença na nossa vida. Eu já coloco algumas delas em prática há algum tempo, mas ainda tenho muito o que aprender e esse momento é bem propício".

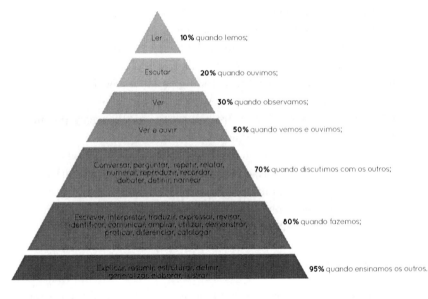

Figura 11.1 – Pirâmide de Glasser
Fonte: Siqueira, 2017.³

---

3 SIQUEIRA, Renatho. Pirâmide de William Glasser ou "cone da aprendizagem". Medium. 2 ago. 2017. Disponível em: <https://medium.com/@renatho/pir%C3%A2mide-de-william-glasser-ou-cone-da-aprendizagem-49a4670afc9a>. Acesso em: 20 maio 2020.

A Figura 11.1 representa a Pirâmide de Aprendizagem de William Glasser. Existe outra imagem similar, conhecida como Cone de Aprendizagem, de Edgar Dale. Esses são os dois autores mais citados com abordagens similares sobre métodos de aproveitamento de aprendizagem. Na minha experiência em educação como professor universitário e facilitador de aprendizagem, reconheço que é notório o grau de engajamento e aproveitamento dos aprendizes com práticas ativas de aprendizagem, concentradas nas três primeiras bases da pirâmide de Glasser.

De qualquer forma, além da minha opinião, que está baseada na minha intuição e no empirismo, você também pode tirar as suas próprias conclusões.

Criei uma tabela que aponta um caminho prático, relacionando a pirâmide de Glasser com alguns exemplos de soluções de aprendizagem disponíveis:

MÉTODO	%	EXEMPLOS
Ler	10	Livros, artigos, blogs, textos em redes sociais.
Escutar	20	*Podcasts*, audiolivros.
Ver	30	Fotos, imagens digitais ou impressas, observação no mundo físico: designs, decorações, casas, roupas, móveis etc.
Ver e ouvir	50	Vídeos, palestras.
Conversar com os outros	70	Grupos de discussão na internet, grupos de estudo presenciais ou mediados por alguma tecnologia, sessão de comentários de redes sociais, *lives*, *webinars*, videoconferência, conversas informais com amigos e familiares, responder a pesquisas e enquetes.

Fazer, praticar	80	Praticar e viver o minimalismo, evoluindo e adaptando os seus preceitos ao estilo e momento de vida.
Ensinar os outros	95	Escrever, criar e produzir conteúdo (vídeos, *podcasts*, infográficos, audiolivros etc.), facilitar cursos, palestras, *webinars*, *lives*, grupos de aprendizagem (presencial ou on-line), realizar pesquisas.

Tabela 11.2
Fonte: O autor.

MODELO DE APRENDIZAGEM MINIMALISTA

O objetivo do modelo de aprendizagem é fundamentar um caminho prático e consistente para apoiar simpatizantes e iniciantes na transformação minimalista. Porém, antes disso, seguem algumas premissas para nortear a interpretação e aplicação do modelo:

Premissa nº 1:
É preciso desaprender para aprender

Existe uma frase atribuída a Einstein, cuja fonte exata não localizei, que diz: "Não podemos resolver nossos problemas com os mesmos pensamentos que tivemos quando os criamos".

Essa deve ser a essência da aprendizagem minimalista. Se queremos participar de um novo mundo, devemos questionar e insistir sobre quais conhecimentos, habilidades e comportamentos são necessários.

Devemos fazer uma análise honesta do nosso repertório mental e decidir quais velhas crenças, paradigmas e hábitos devemos deixar para trás. Decidir não é o suficiente, mas é o primeiro passo.

O desapego e o destralhe devem fazer uma faxina mental, varrendo para fora tudo o que é inútil e que não contribui para a construção do novo estilo de vida.

Na prática, nós não zeramos o nosso HD (mente), nós substituímos o *software* e os conteúdos por novas ideias, modelos, ferramentas, experiências e boas práticas, enquanto vamos apagando o que não nos serve mais.

Devemos definir quais princípios, valores e conhecimentos constituirão a raiz da nossa aprendizagem.

Metaforicamente, devemos podar os galhos que não servem mais (tralhas e velhas ideias), tratar e cultivar a terra (mente) e seguir o fluxo natural de desenvolvimento (estilo de vida) para colher os frutos (benefícios) do minimalismo.

Premissa nº 2:
O modelo é orientado para adultos

Os pais podem educar os filhos com base nos valores minimalistas. Adolescentes também podem aderir e praticar o minimalismo dentro da sua realidade e fase de vida. Contudo, isso ainda não se aplica integralmente ao modelo que estou apresentando. O modelo foi adaptado com base em um estudo para aprendizagem de adultos.

Prefiro não alongar a explicação sobre o que é ser adulto. Resumindo, entendo como alguém com responsabilidades e o mínimo de maturidade para tomar decisões e assumir as consequências, independentemente da idade.

Premissa nº 3:
Cada um aprende como quer

O modelo deve ser adaptado a como cada indivíduo prefere aprender, ou seja, ele não é um instrumento rígido, e sim um orientador.

Premissa nº 4:
Cada indivíduo tem um contexto

Temos desafios diferentes, por isso cada um no seu contexto deve fazer as adaptações necessárias para se orientar pelo modelo. Exemplo 1: uma pessoa que é solteira e mora sozinha, teoricamente, terá mais facilidade para aderir ao estilo minimalista do que uma pessoa casada, com ou sem filhos.

Exemplo 2: uma pessoa que ainda mora com os pais – e talvez com os irmãos – e que tenha despertado para o minimalismo também vive outro contexto. Pode ser que o máximo de autonomia que terá para colocar o minimalismo em prática seja com seus pertences pessoais e no seu quarto, caso não o compartilhe com outro irmão ou parente.

Com base nesses dois exemplos, poderíamos listar vários outros, considerando a renda, a localização, a idade etc.

Premissa nº 5:
Fuja da comparação

Fuja da comparação com outros minimalistas. Cuidado para não se sentir superior ou inferior em relação aos outros, pois as histórias de vida, motivações e diversas outras variáveis serão pouco práticas e justas se comparadas. Foque seu caminho de aprendizagem.

É óbvio, compartilhe e busque apoio em boas práticas e se inspire em histórias de outras pessoas. Aprenda junto!

Considerando essas cinco premissas, desfrute do modelo de aprendizagem, tentando explorar todo o potencial que ele oferece.

A aprendizagem está em suas mãos e em sua mente.

SEIS PRINCÍPIOS DE APRENDIZAGEM DE KNOWLES

Malcolm Shepherd Knowles, educador norte-americano, é considerado o grande nome da andragogia. Existiram outros personagens que influenciaram o desenvolvimento da andragogia, mas Knowles que deu a ela mais forma e aplicação para que se popularizasse. Andragogia refere-se à educação de adultos. A palavra origina-se do grego:

$$andros = \text{homem} + gogos = \text{educar}$$

O minimalismo é um caminho de aprendizagem centrado nas escolhas de vida de cada indivíduo. O modelo de aprendizagem apresentado neste capítulo é uma adaptação da Figura 11.2 – Aprendizagem na prática (Knowles, Holton & Swanson, 1998).[4]

1 – A necessidade do aprendiz de saber	2 – Autoconceito do aprendiz
3 – Experiência anterior do aprendiz	4 – Prontidão para aprender
5 – Orientação para a aprendizagem	6 – Motivação para aprender

Figura 11.3 – Aprendizagem na prática
Fonte: Knowles, Holton & Swanson (2011).

4 KNOWLES, Malcolm S.; HOLTON III, Elwood F.; SWANSON, Richard A. Aprendizagem de resultados: uma abordagem prática para aumentar a efetividade da educação corporatica. Rio de Janeiro: Elsevier, 2011, p.142.

Não existe uma ordem ou grau de importância maior ou menor entre os princípios. Eles podem ser analisados separadamente e aplicados de forma integrativa ou não, dentro do contexto das necessidades de aprendizagem de cada um.

1 – A necessidade do aprendiz de saber

Adultos não se abrem ao novo enquanto não souberem as razões da aprendizagem. Em poucas palavras, nós precisamos saber o por que, o que e como aprenderemos.

Aplicações práticas no minimalismo

- Por que você sentiu ou sente necessidade de aprender?
- Qual conteúdo ou prática minimalista faz sentido para você?
- Como você prefere aprender?

Responda a essas perguntas, leia os outros cinco princípios e desenhe um programa de aprendizagem personalizado às suas necessidades.

2 – Autoconceito do aprendiz

Este princípio diz respeito a como o aprendiz se vê em relação à capacidade para tomar suas próprias decisões. Além disso, como ele deseja ser percebido e tratado por quem irá interagir com ele no processo de aprendizagem. Ele tem a expectativa de ter autonomia para guiar suas escolhas. Portanto, dois fatores são considerados: autonomia e aprendizagem autodirigida.

Das abordagens conhecidas sobre Aprendizagem Autodirigida – SDL (*Self-Directed Learning*) –, me basearei no conceito de Candy:[5]

> Significa assumir o controle sobre os objetivos e propósitos de aprendizagem, e assumir o domínio sobre ela. Isso leva a uma mudança interna de consciência, na qual o aprendiz enxerga o conhecimento como contextual e questiona livremente o que é aprendido.

Aplicações práticas no minimalismo

- Autonomia é um dos objetivos do estilo de vida minimalista, e por meio dela chegamos mais próximo da sensação de liberdade. Como processo, minimalistas buscam um caminho de aprendizagem mais autônomo, podendo ser mediado por um facilitador, mas com liberdade para personalizar como preferem aprender. Como resultado, minimalistas buscam desenvolver habilidades práticas, como culinária, marcenaria, agricultura familiar, conserto de máquinas, costura etc. Além desses exemplos, sugiro focar a aprendizagem de finanças pessoais, economia doméstica e consumo consciente.
- Como não existe faculdade de minimalismo – e nem deveria existir –, a aprendizagem autodirigida provavelmente é como alguns minimalistas aprenderam até aqui. Cada um, de alguma forma, encontrou e continua encontrando maneiras de aprender e adaptar o aprendizado ao próprio contexto e objetivos de vida.
- Como você se vê enquanto aprendiz?
- Quais são as suas expectativas?

---

5 CANDY, Philip C. *Self-Direction for Lifelong Learning: a Comprehensive Guide to Theory and Practice.* San Francisco: Jossey-Bass, 1991.

3 – Experiência anterior do aprendiz

Experiência é a bagagem que o aprendiz leva para o próximo desafio de aprendizagem. Como o minimalismo está ligado à vida como um todo, englobando modelos mentais, hábitos de consumo e comportamento social, não existe uma linha de corte para dizer se algo no histórico do aprendiz serve ou não serve para o objetivo de aprendizagem. Na prática, a princípio, tudo deve ser considerado, e, aos poucos, priorizado.

Aplicações práticas no minimalismo

- O que você já sabe sobre minimalismo e vida simples?
- Quais livros você já leu sobre o tema?
- Quais são os maiores aprendizados sobre minimalismo que mudaram a sua vida?
- Como você enxerga e administra o seu dinheiro?
- Como são os seus hábitos de consumo?
- Quais os seus principais desafios no minimalismo?
- Como você associa o seu estilo de vida com as questões de sustentabilidade?

Em resumo, qual seu ponto de partida e o que você já sabe e pratica?

4 – Prontidão para aprender

Prontidão diz respeito à aplicação imediata do que se aprende para resolver problemas comuns do dia a dia. Ou seja, não precisamos gastar tempo e dinheiro aprendendo algo que irá ser usado quem sabe um dia, mas sim algo que ajude a resolver os problemas de agora, ou os que estão relacionados ao estilo de vida que está se desenhando.

Aplicações práticas no minimalismo

- O que é mais urgente aprender?
- Quais as três prioridades de aprendizagem que irão sustentar o seu propósito de vida em um ano?
- Qual o seu grau de prontidão para a aprendizagem?

A grande questão deste princípio é o quanto você se sente engajado para começar a aprender agora o que é necessário e importante. A sair do campo do sonho, arregaçar as mangas e criar um estilo de vida dinâmico de aprendizagem e prática.

5 – Orientação para a aprendizagem

Adultos assimilam mais facilmente quando aprendem de forma contextualizada.

Nesse sentido, deve-se estimular mais a aprendizagem baseada em problemas, superação de desafios e abordagens mais práticas.

David Kolb é líder no desenvolvimento de prática de aprendizagem experiencial. Meu primeiro contato com esse modelo foi em 2012, e passei a utilizá-lo em programas de treinamento e aulas de MBA. Os resultados foram incríveis. Kolb[6] define aprendizagem como um

> processo pelo qual o conhecimento é criado por meio da transformação da experiência. Para Kolb, a aprendizagem não é tanto para aquisição ou transmissão de conteúdo, e sim interação entre conteúdo e experiência, em que um transforma o outro.

Aplicações práticas no minimalismo

- Qual o contexto do seu estilo de vida atual?

6 KOLB, David A. *Experiential Learning: Experience as the Source of Learning and Development*. Englewood-Cliffs, NJ: Prentice-Hall, 1984, p. 38

- Como você quer que a sua vida esteja daqui a um ano?
- Qual problema você quer resolver com o minimalismo?

6 – Motivação para aprender

A hipótese defendida neste princípio é a de que adultos se mostram mais motivados a aprender aquilo que resulte em recompensas internas. Isso não significa que as recompensas externas não sejam importantes. Os principais fatores deste princípio são a crença de que o esforço de aprendizagem vale a pena e o processo seja agradável. Ou seja, aprender não pode ser um peso ou uma obrigação, tem que ser criativo, divertido e engajador. Neste princípio, deve ser considerada a busca pelo prazer enquanto se aprende.

Aplicações práticas no minimalismo

- O que você valoriza no processo de aprendizagem?
- Como você pode se divertir aprendendo?
- Por que vale a pena aprender sobre minimalismo?

AINDA SOBRE DESAPRENDER

Unlearning[7] (desaprender, em inglês) é um estudo sobre aprendizagem, que significa deixar para trás aquilo que costumava funcionar antes e trabalhar para entender o que é necessário para a próxima fase. Desaprender pode ser desagradável porque significa deixar de se sentir competente para se sentir incompetente. Desaprender pode promover insegurança.

Quando nos propomos a mudar nosso estilo de vida, devemos

---

7 NAHM, Tae Hea. "Unlearning" as the latest must-have skill for any startup CEO. Zendesk relate. Disponível em: < https://relate.zendesk.com/articles/unlearning-latest-must-skill-startup-ceo/ >.

identificar o quanto ainda estamos operando com *mindsets* obsoletos e desatualizados para desapegarmos deles de forma consciente.

Desaprender não é esquecer. A dinâmica da aprendizagem no minimalismo, como na vida, deve seguir a liberdade de desaprender e reaprender, sem engessar a nossa mente a novos paradigmas, que podem se tornar velhos em pouco tempo.

Com firmeza de propósito, as perguntas abaixo serão a nossa bússola:

- O que desaprender?
- O que aprender?
- O que reaprender?

Crie a sua trilha de aprendizagem

23 livros essenciais

- *Mente minimalista* (FERREIRA, 2020);
- *Simplicidade voluntária* (ELGIN, 2005);
- *Essencialismo* (MCKEOWN, 2015);
- *A casa minimalista* (BECKER, 2019);
- *Mindset de mudança* (FERREIRA, 2019);
- *Adeus, coisas* (SASAKI, 2017);
- *Minimalismo digital* (NEWPORT, 2019);
- *Quanto menos, melhor* (BABAUTA, 2010);
- *O poder do agora* (TOLLE, 2000);
- *Mindsets* (GEORGE, 2017);
- *Menos é mais* (JAY, 2016);
- *O negócio é ser pequeno* (SCHUMACKER, 1983);
- *Walden, ou A vida nos bosques* (THOREAU, 2018);
- *A desobediência civil* (THOREAU, 2012);
- *A coragem de ser imperfeito* (BROWN, 2016);

Acesso em: 4 maio 2020.

- *Carpe diem* (KRZNARIC, 2018);
- *Ikigai* (GARCÍA; MIRALLES, 2018);
- *A descoberta do fluxo* (CSIKSZENTMIHALYI, 1999);
- *Decrescimento, crise, capitalismo* (TAIBO);
- *O desafio das 100 coisas* (BRUNO, 2011);
- *A arte da aprendizagem autodirigida* (BOLES, 2017);
- *Minimalism: Live a Meaningful Life* (MILLBURN; NICODEMUS, 2011);
- *Enough* (RHONE, 2016).

Catorze documentários

- *Mente Minimalista* – Direção: Gianini Ferreira (Lançamento previsto para 2020);
- *Planet of the Humans* (2020);
- *Vida Sóbria* (2019);
- *A geração da riqueza* (2018);
- *Minimalism* (2016);
- *Human* (2015);
- *The Trust Cost* (2015);
- *My Stuff* (2013);
- *Paradise or Oblivion* (2012);
- *Comprar, tirar, comprar* (2010);
- *No Impact Man* (2009);
- *The Story of Stuff* (2007);
- *The Corporation* (2003);
- *Ilha das flores* (1989).

Blogs

PORTUGUÊS

1. Mente Minimalista (men-teminimalista.com);
2. Master of Simplicity (mas-terofsimplicity.com);
3. Vida Minimalista (vidami-nimalista.com);
4. Minimalizo (minimali-zo.com.br);
5. Minimallista (minimallis-ta.com.br);
6. Minimus Life (minimus.life).

INGLÊS

1. Zen Habits (zenhabits.net);
2. The Minimalists (themini-malists.com);
3. Becoming Minimalist (be-comingminimalist.com);
4. Matt D'Avella (mattdavel-la.com);
5. No Sidebar (noside-bar.com);
6. Miss Minimalist (missmini-malist.com);
7. Be More Withless (be-morewithless.com);
8. Rhoneisms (patrick-rhone.net);
9. Simple Adventure (simple-adventure.ca);
10. New Minimalism (newmi-nimalism.com/blog).

Canais no YouTube

PORTUGUÊS

1. Mente Minimalista
youtube.com/
menteminimalista;
2. Parece Óbvio – Carol
youtube.com/pareceobvio
3. Simplease – Luana
youtube.com/simplease
4. Mais 60 – Rosana
youtube.com/mais60
5. O Mínimo é o Máximo
– Vivi Weber
youtu-be.com/
Omínimoéummáximo
6. Rosana Radke
youtube.com/rosanaradke.

INGLÊS

1. Zen Habits (zenhabits.net);
2. The Minimalists
(themini-malists.com);
3. Becoming Minimalist
(be-comingminimalist.com);
4. Matt D'Avella
(mattdavel-la.com);
5. No Sidebar
(noside-bar.com);
6. Miss Minimalist
(missmini-malist.com);
7. Be More Withless
(be-morewithless.com);
8. Rhoneisms
(patrick-rhone.net);
9. Simple Adventure
(simple-adventure.ca);
10. New Minimalism
(newmi-nimalism.com/blog).

> "O analfabeto do século XXI
> não será aquele que não
> consegue ler e escrever, mas
> aquele que não consegue
> aprender, desaprender e
> reaprender."
> Alvin Toffler
> **#menteminimalista**

QUESTÃO
O que você precisa desaprender do seu estilo de vida atual?

REFLEXÃO
Em quais situações você sente prazer em aprender?

AÇÃO
Desenhe um programa de aprendizagem simples, com data para iniciar. Defina um único objetivo de aprendizagem no minimalismo e três maneiras de alcançá-lo.

12

MINIMALISMO
E CRIATIVIDADE

O adulto criativo é a criança que sobreviveu.
FRASE ATRIBUÍDA OFICIALMENTE A URSULA K. LE GUIN,
MAS QUE ELA DISSE NÃO SER SUA[1]

O estilo de vida minimalista pode aumentar o nosso potencial criativo? Eu acredito que sim.

Como vimos no capítulo anterior, os quatro benefícios – espaço, tempo, energia mental e dinheiro – além de aumentarem a nossa capacidade de aprendizagem, na minha opinião, colaboram para o nosso processo criativo.

O excesso de preocupação de uma mente sobrecarregada, sem dúvida, pode bloquear o ato de ser criativo.

Uma das maneiras de reduzir ou eliminar essa sensação constante é tirar o futuro da cabeça. Como fazer isso? Transferindo todas as preocupações e pendências da cabeça para o papel. Em seguida, definindo o que é prioridade e a sequência de execução.

---

1 Ursula K. Le Guin, antes de morrer, deixou claro que a frase não é sua. Ela explicou isso neste texto: LE GUIN, Ursua K. A Child Who Survived. Book View Cafe. Disponível em: < https://bookviewcafe.com/ blog/ 2015/12/ 28/a-child-who-survived/ >. Acesso em: 20 maio 2020.

Faça o que for possível no presente, risque as tarefas que cumpriu e mantenha a lista onde possa consultá-la. É uma técnica simples e extremamente eficaz, pois liberamos a mente daquela sensação contínua de que temos algo a fazer, mas não podemos fazer naquele momento.

Dessa forma, reduzimos o risco de esgotamento mental e fornecemos energia para a criação.

A QUEDA
DA CRIATIVIDADE

Um estudo realizado nos Estados Unidos apontou que a criatividade vem caindo desde 1990. O fenômeno foi observado pela pesquisadora Kyung-Hee Kim, do College of William & Mary (uma importante universidade pública estadunidense). Ela avaliou testes de criatividade feitos desde 1958 e aplicou um deles a 300 mil americanos adultos e crianças. O estudo apontou que, de 1990 até agora, os índices de criatividade caíram, especialmente entre crianças pequenas.[2]

Acredito em três hipóteses para a queda de criatividade:

1) Preguiça de pensar

O conforto da tecnologia fez com que a humanidade transferisse parte da habilidade de pensar para as máquinas. Aos poucos, nossa mente foi empobrecendo. Segundo pesquisa publicada pela revista *Intelligence*, a humanidade ficou mais preguiçosa e menos inteligente. O estudo foi conduzido por pesquisadores da Universidade de Amsterdã.[3]

2 LIMA, Francine; FERNANDES, Nelito, LEMENTY, Anna C. Procuram-se criativos. Época. 30 jul. 2010. Disponível em: <httpɪ//revistaepoca.globo.com/ Revista/ Epoca/ 0,,EMI159267-15228,00-PROCURAMSE+CRIATIVOS.htm>, Acesso em: 23 abr. 2020.

3 COOPER-WHITE, Macrina. People Getting Dumber? Human Intteligence has Declined Since Vitorian Era, Research Suggests. Huffpost. Disponível em: <https://www.huffpostbrasil.com/entry/people-getting-dumber-human-intelligence-victoria-era_n_3293846?ril8n=true>, Acesso em: 23 abr. 2020.

Quem vivenciou a transformação do mundo analógico para o digital consegue perceber sinais desse empobrecimento mental, tomando como exemplo os aplicativos de navegação por satélite. Antes, tínhamos que observar um guia impresso, desenhar mapas, memorizar caminhos, seguir placas e pedir informações. Todas essas ações exercitavam a nossa mente e abriam janelas para a criatividade. O efeito colateral da tecnologia, neste exemplo, é que não precisamos mais pensar, basta seguir passivamente às instruções do aplicativo. Esse efeito desdobra-se para outras áreas da vida.

Outro estudo[4] apontou problemas de um estilo de vida hiperconectado, formando uma geração impaciente, com deficiências na habilidade de foco, de atenção e de pensar profundamente.

Há quem defenda que isso é bom, pois economizamos energia com atividades operacionais de menor valor para usá-las em questões mais nobres que exigirão mais criatividade. Será? Para mim, trata-se de um paradoxo desafiador.

2) Excesso de informação

Vivemos em uma era com excesso de informação. Segundo estudos feitos pela International Data Corporation (IDC), a produção de dados dobra a cada dois anos, e a previsão é de que em 2020 sejam gerados 350 zettabytes de dados, ou 35 trilhões de gigabytes. O estudo ainda revela que, hoje, em todo o mundo, existem mais de 500 quatrilhões de informações armazenadas no universo digital.[5] Zettabytes? Confesso que não tenho capacidade para imaginar o que significa isso. Só sei que deve ser muita coisa.

---

4 STAUT, Bernardo. A internet nos torna mais inteligentes ou mais burros?. Hypescience. 12 mar. 2012. Disponível em: <https://hypescience.com/a-internet-nos-torna-mais-inteligentes-ou-mais-burros/>. Acesso em: 23 abr. 2020.

5 MATSUURA, Sérgio. Produção de dados dobra a cada dois anos, diz consultoria do IDC. O Globo. 2 set. 2012. Disponível em: <https://oglobo.globo.com/economia/producao-de-dados-dobra-cada-dois-anos-diz-consultoria-do-idc-5980214>. Acesso em: 3 jul. 2020.

Esse volume de dados nos deixa com a frequente sensação de que estamos desatualizados. Com isso, criamos o impulso de consumir um número excessivo de informação, normalmente, sem critério. Como consequência, sobrecarregamos nossa mente, contribuindo para o esgotamento mental, que diminui o nosso potencial criativo. Em vez de aguçar a nossa criatividade, torna-nos meros reprodutores de conteúdo. Achamos que estamos atualizados, e que isso nos torna mais inteligentes e produtivos. Toda essa situação, a meu ver, é mais um paradoxo contemporâneo.

3) As escolas estão matando a criatividade

Esse é o tema da palestra mais assistida no TED, ministrada por Ken Robinson.[6] Senhor Robinson, britânico, especialista em educação e criatividade, defende de maneira divertida e profunda a criação de um sistema educacional que estimule a criatividade. "A imaginação é a fonte de todas as formas de realização humana. E é o que mais prejudicamos sistematicamente com o modo como educamos a nós e aos nossos filhos."

Concordo com o senhor Robinson, a educação, tristemente, virou uma grande indústria, que empacota conteúdo e sobrecarrega as crianças com disciplinas obrigatórias com a promessa de que um dia serão úteis.

CRIATIVIDADE É ESSENCIAL

Uma pesquisa feita pela IBM com os principais executivos de 1 500 empresas, de vários países, revelou que eles consideram

---

6 ROBINSON, Ken. Será que as escolas matam a criatividade? Fevereiro, 2006. Disponível em: ‹https://www.ted.com/talks/sir_ken_robinson_do_schools_kill_creativity?language=pt-br›. Acesso em: 23 abr. 2020.

a criatividade o fator crucial para o sucesso. Outra pesquisa, feita pela consultoria de administração de pessoal Korn/Ferry, com 365 dirigentes de grandes empresas na América Latina, chegou à mesma conclusão: a habilidade de criar o novo e o diferente é a mais desejada por mais da metade dos dirigentes (56%).[7]

Um artigo de Paul Petrone, editor do Linkedin Learning, revela as competências mais procuradas pelas empresas em 2019. Considerando as *soft skills* (habilidades sociais), criatividade está em primeiro lugar.[8]

O mundo e os problemas estão cada vez mais complexos. Essa tendência apresenta a criatividade como algo raro e valorizado.

Qual a sua opinião? A melhor maneira de resolver questões complexas será com respostas complexas ou simples?

Acredito na simplicidade. E também acredito que a simplicidade caminha de mãos dadas com a criatividade.

MENTES CRIATIVAS

Vidas minimalistas são vidas mais criativas. Minimalismo é colocar a vida e a mente em movimento. Rompe-se o *status quo* com o exercício de remover o excesso de coisas e repensar a vida. O desapego e o destralhe, por exemplo, são exercícios de adaptação da vida ao novo espaço. Esse exercício em si já é um grande estímulo à criatividade.

Normalmente, minimalistas aderem ao consumo consciente e à filosofia *Do It Yourself* (DIY), isto é, "faça você mesmo" em português. Com mais tempo livre, a busca por uma vida sustentável e econômica faz com que a cultura DIY cresça cada vez mais.

7 LIMA; FERNANDES; LEMENTY, 2010.

8 PETRONE, Paul. The Skills Companies Nneed Most in 2019. LinkedIn Learning. 1ª jan. 2019. Disponível em: <https:// learning.linkedin.com/ blog/ top-skills/ the-skills-companies-need-most-in-2019--and-how-to-learn-them>. Acesso em: 3 jul. 2020.

Aderi a essa filosofia há muito tempo, mesmo antes de ser minimalista. O meu lema é: pago apenas por aquilo que eu não sei ou não tenho tempo de fazer.

Há outros dois critérios que uso para a prática do DIY:

* Se eu não sei fazer, posso esperar e aprender?
* Prioridade: se eu preciso resolver o assunto logo, o tempo de aprendizagem e/ou execução tira o meu foco de outros assuntos prioritários, e eu tenho condições de pagar, é melhor contratar alguém para fazer?

A tendência do DIY estimulou a criatividade e o surgimento de vários projetos autorais que se espalham pelas redes sociais. O movimento *handmade* – feito à mão – cresce como fonte de renda extra. Diversos perfis, por razões diferentes, aderem a esse modo de viver, entre eles, os minimalistas, que buscam uma vida mais livre, autônoma e criativa.

É possível encontrar conteúdo de DIY de quase tudo na internet: móveis, artesanato, decoração, cosméticos, comida etc. De alguma forma, essa tendência tem mudado a vida social e aumentado a fatia do mercado informal como uma escolha de vida.

A seguir, apresento nove dicas simples que podem potencializar uma mente criativa.

Como critério de seleção, considero que todas elas têm relação direta com o estilo de vida minimalista.

Dica nº 1:
Mente livre

Liberdade é a principal conquista de uma mente minimalista. Com ela, libertamo-nos de paradigmas, crenças limitantes e pensamentos automáticos que condicionam um estilo inconsciente e maximalista de viver. Ao libertarmos a nossa mente de antigos padrões, abrimos espaço para a criatividade. Uma mente criativa é essencialmente uma mente livre de dogmas. Uma ideia precisa de liberdade para nascer e crescer. Uma mente livre é uma mente sem bloqueios, despida de normas e conceitos que precisam ser desconstruídos para abrirem espaço para a criatividade passar. Ela precisa encontrar um ambiente que não cerceie a liberdade.

"Criatividade é a maior expressão de liberdade."
Bryant H. McGill

Dica nº 2:
Mente saudável

O minimalismo não é tratamento para disfunções mentais. Contudo, é uma ferramenta fantástica para apoiar o desenvolvimento de uma mente saudável. Ao remover as tralhas mentais e adotar um estilo de vida mais simples, nossa mente tende a ficar mais calma e revigorada, ganhando saúde mental. Por meio desse estilo de vida, gradualmente, as refeições passam a ser feitas sem pressa, e alimentos mais saudáveis e naturais entram no dia a dia de um minimalista. Dormimos melhor, dando o devido repouso que a mente precisa para se revigorar. Não posso afirmar que todos os minimalistas que adotam uma vida simples automaticamente passam a adotar uma vida mais saudável. Entretanto, essa é uma tendência de quem opta por este caminho. Enfim, uma mente saudável tende a ser uma mente mais propícia à criatividade.

"Mente sã, corpo são."
Desconhecido

Dica nº 3:
Mente simples

As melhores ideias criativas, normalmente, são simples. É comum diante de algo criativo, simples e óbvio ouvirmos: "Nossa!

Como ninguém pensou nisso antes?". É claro que o óbvio, muitas vezes, só é reconhecido como óbvio depois que a ideia surge. A cultura da simplicidade estimula o potencial criativo das pessoas. Genialidade é a capacidade de encontrar soluções simples para problemas complexos. Contudo, vale diferenciar o que é simples do simplismo. Simplismo seria uma simplificação exagerada e grosseira. O óbvio pode estar à disposição de todos, mas nem todos conseguem enxergá-lo. Enxergar o óbvio e o simples onde ninguém vê é uma das características de uma mente criativa.

> "A simplicidade é o
> último grau de sofisticação."
> **Leonardo da Vinci**

Dica nº 4:
Mente corajosa

Coragem é a capacidade de agir, apesar do medo. A falta de coragem pode ser um grande obstáculo para a criatividade, pois, sem ela, é difícil superar o medo de errar. Também é necessário coragem para questionar certezas e enfrentar o *status quo*. Existe uma frase clássica do grande guru da administração Peter Drucker: "Em todo lugar que você vê um negócio de sucesso, alguém tomou, um dia, uma decisão corajosa". Eu poderia parafrasear Drucker, adaptando a ideia de que, por trás de uma ideia criativa, por trás das grandes invenções da humanidade, alguém tomou uma decisão corajosa. Teve a coragem e a determinação de lidar com consecutivos "fracassos". Coragem de enfrentar o rótulo de maluco por, normalmente, estar à frente do seu tempo. Coragem de apostar na própria ideia, enquanto muitos torciam contra. Coragem para fazer o que precisava ser feito, independentemente da fama, do sucesso ou do dinheiro. Enfim, tiveram a coragem e a determinação de viver por um propósito, apesar de tudo isso.

> "Criatividade exige coragem."
> **Henri Matisse**

Dica nº 5:
Mente curiosa

A curiosidade aguça a percepção e a imaginação. Ela nos faz olhar para fora da caixa, em busca do novo. É uma atitude mental orientada para a exploração de novas ideias e satisfação com a descoberta do novo, do diferente, do incomum. Pessoas curiosas têm uma natureza inquieta e ousada. A curiosidade não é só pela descoberta de uma ideia, mas é, acima de tudo, saber se ela funciona. Em vez de prender-se ao "será que vai dar certo?", a postura é: "Vamos testar para ver se dará certo".

Mentes curiosas não abandonam as ideias facilmente sem antes experimentá-las. É uma mente otimista, disposta a correr risco e lidar com o fracasso.

Sem curiosidade, como teria sido o nosso progresso? A curiosidade é uma característica comum nas crianças, e é um traço de evolução. Adultos que perdem a curiosidade tendem a petrificar a própria mente. A curiosidade leva o ser humano a consumir cultura, explorando várias áreas de conhecimento, aumentando o repertório de vida, insumo necessário para o ato criativo.

> "Curiosidade sobre a vida em todos seus aspectos,
> eu acho, continua sendo o segredo
> dos grandes criativos."
> **Leo Burnett**

Dica nº 6:
Mente associativa

Costumo dizer que a criatividade não brota do nada. De alguma maneira, uma mente curiosa e atenta estoca informações e sensações no inconsciente. Todas as experiências, das menos pretensiosas até as que buscamos deliberadamente, estão ao nosso dispor, esperando para serem exploradas. Não podemos retirar da mente o que não foi colocado antes. É ter interesse pelos conhecimentos essenciais da vida. Criatividade é a capacidade de ligar pontos que, aparentemente, são de universos muito diferentes. É difícil conectar ideias quando o repertório é baixo. Não estou defendendo o excesso de informação para criação do repertório. A grande dica é a diversidade das informações. É buscar inspiração na arte, na ciência, no esporte, na natureza. É conseguir acessar referências, respeitar e conhecer a história e nutrir os nossos hobbies. É viver fora da caixa social que tenta direcionar nossos interesses. É expandir o autoconhecimento por meio das relações e associações. É nutrir a crença de que tudo nos ensina. É ser humilde para buscar e aceitar a ideia dos outros. É a capacidade de trabalhar em grupo, de praticar a colaboração e relacionar ideias.

> "Quando mentes criativas se reúnem, a soma supera todas as expectativas. Nós conectamos, aprendemos, criticamos, prosperamos. Não é sobre dinheiro ou fama.
> É sobre fazer o que amamos."
> **Guilherme Bussinger[9]**

Dica nº 7:
Mente silenciosa

Mentes barulhentas queimam energia com a confusão mental. Mentes criativas necessitam de momentos de silêncio, de não pensar

---

9 Do vídeo Ode à criatividade. Disponível em: ‹https://vimeo.com/550438160›, Acesso em: 24 abr. 2020.

em nada, de simplesmente deixar o inconsciente trabalhar, enquanto buscam repouso. É comum as pessoas buscarem algum refúgio longe dos centros urbanos, preferencialmente em contato com a natureza. A ideia é se afastar das distrações e relaxar. Soltar a mente, para que ela produza os *insights* para a criatividade. É confiar, ser paciente e, ao mesmo tempo, estar de prontidão. Grandes ideias, experimentos e obras criativas surgem nesses momentos de retiro. Entre os minimalistas que sigo e admiro, está Patrick Rhone. Ao falar dele, sempre sinto serenidade, lucidez e inspiração. Separei um trecho de seu livro relacionado a essa dica, que compartilho na íntegra a seguir.

Sozinho[10]

Acho que ensinar nossos filhos a ficar sozinhos e praticar a solidão pode ser uma das lições mais importantes que podemos ensinar. Por quê? Acredito que, embora as boas ideias sejam frequentemente estimuladas pela conversação, interação e colaboração, as ideias revolucionárias que surgem do pensamento profundo, da verdadeira criatividade pessoal, exigem solidão.

Patrick Rhone

"Sem solidão, nenhum trabalho sério é possível."

Pablo Picasso

Dica nº 8:
Mente prática

Criatividade é a capacidade de plasmar uma ideia. De alguma forma, toda criação tem um significado, um sentido de ser e uma aplicação prática. Trazer uma ideia para a realidade é dar vida a ela, promovendo a relação entre o objeto de criação e a vida das pessoas, ou seja, criamos para gerar conexão entre o criador e a criatura.

10 RHONE, 2016, e-book.

Minimalistas possuem senso prático. A criatividade tem a função de simplificar o estilo de vida minimalista. As ideias devem servir a um propósito, ser incorporadas ao dia a dia, podendo promover desde bem-estar até ganho de produtividade e economia de recursos e tempo.

"Ser criativo não é só ter ideias originais
– é pensar em como torná-las realidade."[11]

Desconhecido

Greg McKeown diz que

imagina o dia em que todas as pessoas – crianças, estudantes, mães, pais, funcionários, gerentes, executivos, líderes mundiais – terão aprendido a fazer um uso melhor da inteligência, do talento, da criatividade e da iniciativa para levar uma vida com mais significado. Elas terão a coragem de assumir a verdadeira vocação. Se é difícil conseguir a determinação necessária para seguir o caminho certo, vale a pena refletir sobre a brevidade da vida e o que queremos realizar no pouco tempo que nos resta.[12]

PROPÓSITO

Desde que li o livro de McKeown, vivo a nutrir a mesma imaginação. Essa é uma das razões que reforçaram meu compromisso com a educação e o desejo de compartilhar a cultura do minimalismo como uma alternativa de vida sustentável.

Também desejo ajudar as pessoas a terem coragem de assumir suas verdadeiras vocações.

11 LIMA, FERNANDES, LIMENTY, 2010.

12 MCKEOWN, 2015, p. 28.

Simplificar a vida, remover os excessos e as distrações e encontrar mais significado em todas as escolhas são maneiras de realizar esse propósito.

> Se não despertarmos
> o nosso potencial
> criativo nesta vida,
> quando faremos isso?
> **#menteminimalista**

QUESTÃO
Quais aspectos do minimalismo você pode praticar agora para pôr a criatividade em ação?

REFLEXÃO
Quais foram as coisas mais criativas que você já fez?

AÇÃO
Crie um projeto para desenvolver a sua criatividade ligado ao minimalismo.

13

MINIMALISMO
E PRODUTIVIDADE

Não tente se tornar uma pessoa de sucesso, prefira tentar se tornar uma pessoa de valor.

ALBERT EINSTEIN

Como fazer mais com menos? Essa é uma pergunta retórica e recorrente, submetida ao paradigma da produtividade, que passou a guiar a humanidade, principalmente, após a Revolução Industrial.

Creio que desde então perdemos o equilíbrio e estamos totalmente sem direção em relação à vida, ao tempo e ao trabalho.

Criamos um grande relógio do tempo e automatizamos nossas vidas dentro dele. Somos pressionados por resultados no curto prazo e, cada vez mais, a humanidade se submete e entrega sua vida a esse modelo.

Mas, por que isso acontece? Por que nos sujeitamos a colocar a maior parte do nosso tempo de vida dentro desse modelo? A resposta é simples: medo.

CINCO PERGUNTAS PARA A TRANSFORMAÇÃO

1. Considerando a brevidade da vida, o que você quer realizar com o tempo que lhe resta?
2. O que te inspira profundamente?
3. Qual é o seu talento mais importante?
4. Com qual necessidade do mundo você pode contribuir?
5. Qual é o primeiro ponto que você quer mudar?

Não precisa responder a todas as perguntas de uma vez. Talvez seja um processo exaustivo. Separe uma pergunta de cada vez e medite um tempo sobre ela.

Não precisa ser agora, você poderá voltar a esta página quando quiser. O objetivo de apresentar essas perguntas é preparar você para as provocações a seguir.

Faço agora um convite para iniciar a sua mudança de *mindset*. Examine quais crenças podem estar influenciando as suas decisões.

CINCO BLOQUEIOS MENTAIS

Muitos dogmas bloqueiam a nossa mente e a nossa capacidade de enxergar outras maneiras para equilibrarmos a equação vida-trabalho.

1. Estar ocupado é um sinal de vida produtiva;
2. Trabalhar menos significa ter preguiça;
3. Para dar conta de tudo, temos que aprender a fazer várias coisas ao mesmo tempo;
4. Me sinto culpado quando não estou ocupado com algo;
5. Quando meus filhos crescerem, começarei a aproveitar a vida.

A sociedade, de alguma forma, transformou as frases citadas em verdades quase que absolutas. A grande notícia é que essas verdades não são você. Elas são apenas pensamentos, e nós podemos mudar nossos pensamentos. Você não é a sua mente!

A CONTRIBUIÇÃODO ESTILO DE VIDA MINIMALISTA

O estilo de vida minimalista é uma subcultura discreta que se espalha pelo mundo como uma revolução invisível, que questiona o *status quo* e tenta quebrar muitos dogmas que condicionaram o nosso modo de viver, principalmente, nos últimos dois séculos.

O termo "produtividade" é enxergado com preconceito e distorção por estar diretamente associado à exploração do homem como máquina de trabalho. O filme *Tempos modernos*, de Charles Chaplin, é uma crítica inteligente e bem-humorada a essa visão.

Não necessariamente devemos entender produtividade como algo ruim. Vamos aprender a ressignificar esse conceito para que tenhamos uma vida produtiva e saudável.

Produtividade é uma fonte de realização pessoal e de contribuição ao mundo, popularmente disseminada na última década como propósito ou legado.

CUBO DE PRODUTIVIDADE

Criei o modelo SIMPLE – Simplicidade, Impacto, Meta, Propósito, Liberdade e Efetividade, um acrônimo para sintetizar alguns princípios de produtividade que considero essenciais.

Intencionalmente, o modelo tem seis letras para que cada uma fique estampada em uma face do cubo de produtividade. O cubo é um *job aid*,[1] um recurso visual, com informações bem simples que direcionam e potencializam nosso desempenho. Em resumo, é um apoio para ganhos de produtividade.

S | Faça com **S**implicidade
I | Faça com **I**mpacto
M | Faça com **M**eta
P | Faça com **P**ropósito
L | Faça com **L**iberdade
E | Faça com **E**fetividade

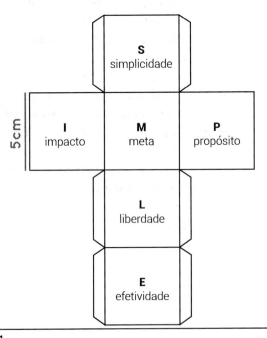

Figura 13.1
Fonte: O autor.

....

1 Segundo Willmore, Job Aid é um recurso externo projetado para apoiar uma pessoa a executar uma tarefa específica, fornecendo informações ou compensando falhas na memória do trabalhador. CASSIMIRO, Wagner. 10 tipos de job aids. Espresso 3.10, outubro de 2017. Disponível em: ⟨https://espresso3.com.br/10-tipos-de-job-aids/⟩. Acesso em: 30 maio 2020.

Simplicidade

Um dos desafios da execução é encontrar o jeito mais simples de fazer algo. A simplicidade tem muitas vantagens, entre elas, a confiabilidade.

Quando o dono da própria ideia não consegue transmiti-la de forma simples e clara em uma sentença, ele deixa dúvidas. A verdade da simplicidade penetra mais fácil na mente e flui naturalmente para seu fluxo de ação. Quando tentamos inventar um novo jeito de fazer que gera confusão e ambiguidade, o processo decisório e a execução se tornam mais lentos e cheios de risco. Mentes brilhantes são aquelas capazes de encontrar uma saída simples diante do caos. É o estalo que se resume nesta pergunta: "Como ninguém pensou nisso antes?".

Como consultor organizacional e de processos, percebi que a solução mais simples sempre esteve ao lado do cliente, e o meu papel é fazê-lo enxergar e acreditar na própria ideia.

Por que muitos não conseguem enxergar uma ideia simples? Porque estão com a visão encoberta pela sobrecarga do dia a dia, entulhados de carga física e emocional.

Temos uma tendência em achar que os problemas são muito maiores do que de fato são. E, por vezes, dramatizamos demais.

A busca por ideias incríveis normalmente pula uma etapa importante que eu chamo de sessão de perguntas óbvias. Por que isso pode acontecer? Levanto quatro hipóteses:

Dedução – muitos deduzem que as ideias mais simples já foram conversadas e testadas.

Métrica da vaidade – muitos são guiados pela métrica da vaidade e desprezam ideias simples. Querem ser reconhecidos por *insights* fantásticos. Vivemos em um período de carência emocional e de grande necessidade de autoafirmação. Em vez de sermos guiados pelas métricas de resultados, estufamos o peito e abraçamos as métricas ilusórias da vaidade. Como aprendi com um amigo: "Vivemos um período de excesso de 'testosterona' em ambos os gêneros".

Competição – há um estímulo a um tipo de competição cega que mata boas ideias logo na saída. A sede por competir leva-nos a ignorar boas ideias por achar que, durante a competição, as melhores ideias vencerão.

Surdez – em geral, as pessoas estão perdendo a capacidade de escuta. Enquanto um está apresentando um jeito de fazer, o outro está pensando em elaborar uma "ideia melhor". Se observarmos algumas conversas à distância, é possível imaginar uma briga de foices. Por exemplo, um cortando a fala do outro. Sem silêncio interno não há escuta. E, sem escuta, boas ideias morrem atordoadas pelo barulho.

Um dos princípios básicos de produtividade é: comece pelo simples, faça o simples funcionar primeiro, tente o óbvio. Mas não, queremos a placa de alguém que foi além do óbvio. Nada contra, desde que o que foi além do óbvio realmente funcione, e funcione melhor na relação custo-benefício.

Simplicidade é fazer bem feito o básico, para que seja feito uma vez só.

Devemos focar o essencial para que a simplicidade energize a produtividade. Se definir o que é essencial é difícil, Leo Babauta[2] sugere que podemos começar por evitar o que não é essencial, elaborando uma lista de tarefas e começar eliminando aquelas que temos certeza de que não são tão importantes.

Uma forma de fazer isso é criar duas colunas. De um lado, colocamos tudo o que é necessário, e, do outro, inserimos as categorias "gostaríamos", "deveríamos", "se fosse possível", "teríamos". Muitas atividades da segunda coluna são inviáveis devido à falta de recursos, tempo, clareza etc.

---

2 BABAUTA, 2010.

Impacto

Sempre que possível, devemos balancear a possiblidade de fazer aquilo que é mais simples com a ação que causa mais impacto. Babauta ilustra que uma tarefa ou um projeto podem ter mais impacto de diversas maneiras:

- Trazendo reconhecimento duradouro;
- Rendendo mais dinheiro a longo prazo;
- Mudando a sua carreira ou tendo grande potencial para desenvolvê-la;
- Transformando sua vida pessoal;
- Contribuindo para a sociedade ou para a humanidade em geral.

Esses são alguns exemplos, você pode elencar outros dentro do seu contexto. Para ter clareza sobre qual tarefa ou projeto pode ser mais impactante, você precisará ver o todo e conectar suas escolhas com as metas e o propósito.

Para escolher o que mais impacta, algumas vezes, teremos que abrir mão de algo.

Meta

Esse é um princípio-chave para nos trazer para o foco. A quantidade de fatores que podem nos distrair e desviar a nossa energia são enormes.

De tempos em tempos, devemos parar, afastar-nos da execução e fazer a pergunta de ouro: o que eu estou fazendo está relacionado com a meta?

Como empregado, ocupei posições de liderança e consultor interno de processos. Tanto com minha equipe, quanto com os meus clientes internos, essa era a minha pergunta-chave. Nas reuniões, ou em contatos informais, essa era a pergunta coringa que, muitas vezes, serviu para redirecionar um dia de trabalho.

Essa pergunta é poderosa porque tem muitas aplicações de produtividade:

- Descobrimos se o profissional sabe qual é a meta (ou metas);
- Se ele sabe, ajudamos a lembrar e, principalmente, correlacionar a atividade que está executando naquele momento com a meta;
- Caso a atividade seja irrelevante em relação à meta, com tempo hábil, é possível redirecionar as ações.

A rotina de questionar a relação entre a atividade com a meta pode corrigir a rota da produtividade.

Por que é muito comum perdermos o foco da meta?

Existem as demandas externas, que surgem a qualquer momento nas áreas profissionais ou pessoais e que podem chegar de todos os lados: um novo pedido do chefe, a ligação de um fornecedor, a reclamação de um cliente, uma situação de conflito entre membros da sua equipe, uma ligação da escola do seu filho, da sua esposa, uma mensagem do seu irmão ou da sua mãe. Simplesmente é o mundo disputando a nossa atenção e o nosso tempo. O que fazer com todas as demandas externas? Negociar e aprender a dizer "não" para todas que forem possíveis, com técnica e elegância.

Além das demandas externas, existem as questões internas, que dizem respeito ao nosso autogerenciamento. E o que de fato gerenciamos?

Deixe-me quebrar dois mitos:

- **Nós não gerenciamos o tempo** – gerenciamos o que fazemos dentro do tempo;
- **Nós não gerenciamos as prioridades** – nós temos prioridades.

Em tempo, precisamos resgatar o conceito de prioridade. Aos poucos, o mantra "tudo é prioridade" passou a ser verdade. Nas reuniões são apresentados projetos e listas com diversas prioridades. Segundo McKeown:[3]

---

3 MCKEOWN, 2015, p. 24.

A palavra "prioridade" deveria significar a primeiríssima coisa, a mais importante. No século XX, pluralizamos o termo e começamos a falar em prioridades. De forma ilógica, raciocinamos que, mudando a palavra, conseguiríamos modificar a realidade. Daríamos um jeito de conseguir várias "primeiras" coisas. E, atualmente, empresas e indivíduos tentam fazer exatamente isso. Mas, quando muitas tarefas são prioritárias, parece que, na verdade, nenhuma é.

Explicarei agora por que não gerenciamos o tempo ou as prioridades. Segundo David Allen, criador do *Getting Things Done* (GTD), você não gerencia prioridades, você as *tem*. Para Allen, o grande desafio consiste em gerenciar as nossas ações.[4]

Propósito

Uma pessoa produtiva é uma pessoa comprometida com o resultado. E o que engaja uma pessoa? Esse é o tema que tomou conta do universo de gestão de pessoas nos últimos anos. Finalmente, descobriram que, para alguém fazer algo bem feito, é necessário saber o porquê das coisas.

Quando alguém tem a visão do todo e sabe para onde está indo, tende a se comprometer mais com o resultado. Diferentemente de quem vive preso ao paradigma de comando-controle. Infelizmente, essa cultura ainda se faz muito presente no Brasil. Qual sua consequência? É simples de entender. Normalmente, quando alguém trabalha seguindo ordens, possui uma justificativa pronta quando as coisas dão errado: "Eu fiz exatamente o que você mandou". Ou seja, o que está dizendo às pessoas é que a culpa não é sua. É do chefe ou do cliente que não soube pedir.

---

4 ALLEN, David. *A arte de fazer acontecer: o método GTD – Getting Things Done*. Rio de Janeiro: Sextante, 2015. p. 49.

Liberdade

Liberdade diz respeito ao grau de autonomia que um profissional tem para fazer as coisas do jeito que acha certo, desde que entregue o resultado. Pressupõe confiança e clareza de expectativas e papéis. A cultura de comando-controle está cada vez mais em desuso, pois, além de gerar desmotivação, afeta a criatividade e a velocidade do negócio. Autonomia e responsabilidade contribuem com o aumento de produtividade quando os resultados esperados estão claros. A frequência e a transparência na comunicação são os instrumentos que dão sustentação e ritmo de execução, fortalecendo o grau de confiança e o compromisso entre os envolvidos.

Ninguém trabalha às cegas ou toma uma decisão por dedução, os canais de comunicação estão sempre abertos, e as interações são objetivas, sem deixar de lado a empatia e o respeito.

Este princípio de produtividade cria um efeito sinérgico entre relações de confiança e clareza dos resultados esperados. Não é algo utópico, é algo prático e possível.

Produtividade sem autonomia deixa o processo moroso e os níveis de comprometimento e motivação baixos. É possível entender cada princípio de produtividade isoladamente, mas, sem dúvida, eles ganham forma e força quando estão trabalhando juntos.

Efetividade

"Não há nada tão inútil quanto fazer com grande eficiência algo que não deveria ser feito."
Peter Drucker

Não negligencie os clássicos.

A busca por criatividade, inovação e produtividade, de forma alguma, deve deixar de lado os fundamentos da administração. E ninguém melhor do que Peter Drucker para nos ensinar.

O novo, quando está vestido de arrogância, converte-se em tolice. Sou formado em administração desde 1994, mas nunca me canso de revisitar Drucker.

Em todos os treinamentos ou aulas de MBA que ministro sobre habilidades gerenciais e produtividade, abro um debate para testar o quanto as pessoas têm clareza sobre o que é eficácia, eficiência e efetividade.

O quanto todos conseguem apresentar uma síntese, sem titubear, com exemplos claros.

Sintetizo a frase de Drucker, que abriu este princípio, da seguinte maneira para apresentar o conceito de eficácia.

> Não adianta fazer bem feito
> o que não precisa ser feito.

Eficácia diz respeito a fazer a coisa certa, ou seja, está mais relacionada ao objetivo, ao resultado esperado.

> O que eu estou fazendo é a coisa certa
> e a mais importante a ser feita agora?

Se você é líder, essa é uma boa pergunta para fazer ao seu liderado: "O que você está fazendo é a coisa certa e mais importante a ser feita agora?".

Essa pergunta tem como resposta o conceito de eficiência ou eficácia? Eficácia é a resposta correta.

Eficiência diz respeito a fazer do jeito certo aquilo que deve ser feito, otimizando recursos como dinheiro, tempo e materiais, por exemplo. Ou seja, é fazer bem feito.

Efetividade está relacionada com a capacidade de impactar a realidade, atendendo a uma expectativa. Eu considero que a soma de eficácia e eficiência conduz à efetividade. Contudo, isso apenas transforma a realidade quando as expectativas estão bem alinhadas.

RODE O CUBO DE PRODUTIVIDADE

Quando estiver em dúvida se você ou sua equipe estão sendo produtiva, rode o cubo de produtividade e visite cada face do modelo SIMPLE.

S	Estamos fazendo do jeito mais **simples**? Já fizemos todas as perguntas óbvias? Já testamos as ideias mais simples?
I	Estamos fazendo o que gera mais **impacto**? Qual o impacto daquilo que estamos fazendo? Existe outra forma de gerar mais impacto?
M	O que estamos fazendo está nos conduzindo para a **meta**? A meta está clara para todos? A meta é desafiadora e ao mesmo tempo realista? Qual é a prioridade?
P	Qual o **propósito** do que estamos fazendo? Por que fazemos o que fazemos? Qual o sentido de tudo isso?
L	Tenho **liberdade** para escolher a melhor maneira de fazer? Tenho liberdade para dizer o que penso? Tenho autonomia para decidir o que e como fazer?
E	Faça com **efetividade**. Estamos fazendo a coisa certa? Estamos fazendo do jeito certo? O que estamos fazendo está sendo efetivo?

Quadro 13.1

Fonte: O autor.

COMO CRIAR UMA ROTINA PRODUTIVA?

- Simplifique, simplifique, simplifique!
- Livre-se dos excessos, livre-se do que não é essencial, livre-se de falsas ideias e expectativas, livre-se de dogmas e crenças limitantes.
- Estude e se aprofunde no minimalismo.
- Crie um estilo de vida consciente.
- Mantenha em sua vida o que tiver significado, o que estiver alinhado com o seu propósito.
- Delineie os seus sonhos.
- Defina quais são os seus medos e enfrente-os.
- Tenha metas claras, estabeleça prazos.
- Invista em aprendizagem contínua.
- Reconheça e foque o uso dos seus pontos fortes.
- Descomplique, reduza o peso da bagagem.
- Energize-se com os seus hobbies.
- Revigore-se com exercícios físicos.
- Durma bem.
- Tenha uma alimentação saudável.
- Crie uma agenda, estabeleça horários.
- Faça uma coisa de cada vez, bem-feita.
- Defina limites e aprenda a dizer "não".
- Foque o essencial.
- Pense simples, mas pense grande;
- Se quiser, imprima e monte o cubo de produtividade, e tenha-o como um talismã, para você não perder o foco. Com o tempo, livre-se dele!

O MINIMALISMO
E O *FLOW*

Como ter uma vida que valha a pena ser vivida? Como podemos explorar o máximo do nosso potencial e da nossa performance?

Essas são algumas perguntas essenciais a que o psicólogo húngaro Mihaly Csikszentmihalyi procurou responder com os seus estudos sobre *flow*, o estado de fluxo.

Experimentar o estado de fluxo é sentir a plenitude de nossas faculdades em ação, preenchidas de propósito.

Eu entendo que o estado minimalista tem profunda relação com o estado de fluxo. Conversando com meu amigo Cadu Lemos, o maior especialista em *flow* que conheço, concordamos que o minimalismo e o *flow* estão profundamente relacionados. É com você, Cadu.

MINIMALISMO E O ESTADO DE *FLOW*

De uma forma geral, eliminar o máximo possível os excessos, acumulações e ruídos muda nossa vida para melhor de diversas formas. Idealmente, podemos nos concentrar e gastar tempo apenas com as coisas que realmente valorizamos e nos tornam mais plenos.

Percebo que o minimalismo é especialmente relevante e positivo durante o processo de ativação do estado de *flow*.

O conceito de *flow* foi desenvolvido na década de 1970 pelo psicólogo Mihaly Csikszentmihalyi, que definiu o estado mental em que o corpo e a mente fluem em perfeita harmonia. É um estado de excelência caracterizado por alta motivação, alta concentração e foco, alta energia e alto desempenho, por isso também chamado de experiência máxima ou experiência ótima.

Existe apenas um pequeno problema: o *flow* pode ser muito difícil de ativar de forma consciente, sem que se crie o melhor ambiente para isso.

Passos simples para ativar o *flow*:

1. Crie novos hábitos, rituais diários. *Flow* segue o foco, portanto um exercício de respiração/visualização ou meditação ajudam a construir a atenção plena.

2. Defina suas prioridades: use listas e planeje seu dia na noite anterior. Isso ajuda a não se distrair pensando no que tem que fazer.

3. Estabeleça limites digitais: nada nos distrai e rouba mais o nosso foco e atenção do que a tecnologia e a internet. Excesso de informação e escolhas que impedem uma diminuição do ruído mental. Os *smartphones* são as verdadeiras armas de distração em massa, mas o paradoxo é que você pode usar seu próprio aparelho para se desconectar.

4. Escolha as atividades que são as mais importantes para você e construa sua vida em torno delas. Decida por um ou dois pontos nos quais você realmente quer se desenvolver, aprender mais e/ou se tornar um *expert* e foque com rigor. Se, ao longo do tempo, você decidir que não são para você, sem problema, vá para o próximo desafio ou objetivo (pessoal ou profissional). Ao focar a atividade, você já está treinando sua mente de uma forma poderosa, qualquer que seja seu interesse. Algo para se distrair ou relaxar, algo que reverbere seus valores de vida ou o bem maior e, claro, algo relacionado à sua sobrevivência, remuneração e carreira. O mais importante é que seja algo em que você também possa descobrir diversão e propósito (sim, quando juntos, são enormes gatilhos para o *flow*).

Procure atividades que falem de verdade com você e foque as mais significativas. Descarte o que não é essencial ou relacionado a elas.

Simplificar nossa vida é uma forma de arte.

Cadu Lemos
Bragança Paulista, Brasil
Vários aplicativos[5] permitem que você limite seu tempo de uso em determinados sites, acesse meditações guiadas, batidas binaurais que conversam com suas frequências cerebrais – potencializam a aprendizagem, favorecem o sono, aprofundam a meditação, liberam endorfinas e, portanto, relaxam profundamente, controlando ansiedade e melhorando a concentração.

---

5 *BANZAILABS. Advanced Binaural Neural Entrainment. Disponível em: <http://www.banzailabs. com/brainwaveapps.html>. Acesso em: 4 jul. 2020.*
OFFTIME. Disponível em: <http://offtime.co/>. Acesso em: 4 jul. 2020.
SPACE. Disponível em: <http://www.breakfree-app.com/>. Acesso em: 4 jul. 2020.

> "No foco harmonioso das energias físicas e psíquicas, a vida, enfim, se torna realmente significativa."
> Mihaly Csikszentmihalyi[6]
> **#menteminimalista**

QUESTÃO
Como o cubo de produtividade pode te ajudar?

REFLEXÃO
Você já experimentou alguma vez o estado de *flow*?

AÇÃO
Crie um desafio que o leve a experimentar o *flow*.
Viva uma experiência sensorial concreta.

6 CSIKSZENT MIHALYI, 1999, p. 38.

POSFÁCIO

Quando o caráter é belo, somos belos.
Essa é a beleza da simplicidade.
ELA BHATT

Por que você comprou este livro? Estou considerando que você o leu todo para entender o contexto da pergunta acima. Eu tenho uma hipótese. Responderei com o registro que estava no topo da lista de arrependimento dos pacientes terminais da enfermeira australiana Bronnie Ware:[1] "Queria ter tido a coragem de levar uma vida significativa para mim, não a vida que os outros esperavam que eu levasse".

Talvez esse não tenha sido o motivo que o fez comprar o livro, pelo menos não de maneira consciente. O que estou fazendo é uma provocação.

Ser minimalista não é a solução para todas as aflições humanas, mas é a ferramenta de transformação pessoal e social mais eficaz que eu conheço e experimentei.

Espero que este livro tenha proporcionado momentos de reflexão para você responder às duas perguntas que fiz logo no início:
- O que te faz feliz?
- Como você quer viver o restante da sua vida?

---
1 WARE, Bronnie. *Antes de partir: os 5 principais arrependimentos que as pessoas têm antes de morrer.* São Paulo: Geração Editorial, 2012.

Convido você a aceitar a missão de participar deste mundo de uma maneira mais ativa, simplesmente exercendo o seu poder de escolha com mais clareza, responsabilidade e compaixão.

Enquanto os outros estiverem levando uma vida de estresse e caos, não os julgue. Primeiro, viva como minimalista e seja coerente com suas atitudes. Depois, convide quem quiser para ouvir a sua mensagem. Cuidado para não reforçar a falsa ideia de que ser minimalista é levar uma vida de sacrifícios. Não foque a escassez, foque a abundância de uma vida significativa.

Mantenha-se sereno e alegre. Caminhe leve e com um sorriso na face.

Tenha sempre uma palavra contundente e compassiva para aqueles que quiserem te ouvir, uma escuta atenta e acolhedora para quem quiser falar e, durante a escuta, não seja ansioso, seja empático.

Conecte-se com cada ser humano pela essência que nos une enquanto espécie, não pelo juízo de valor.

Sobre o tema trabalho, que tanto abordamos no livro, encontre propósito e equilíbrio. Siga as orientações de Lao-Tsé: "No trabalho, faça o que gosta. Com a família, esteja presente por inteiro".

As verdades que estão neste livro serão aquelas que penetrarem no seu coração e fizerem sentido para você.

Mais do que um livro sobre reflexão, este é um livro de ação. Nada muda se a mente não muda, nada muda enquanto as ideias não forem colocadas em prática. Movimente o seu projeto de vida.

Publiquei um texto em uma das minhas redes sociais enfatizando que a humanidade nunca mais será a mesma após o coronavírus.

Alguns contestaram, argumentando que não acreditavam que a humanidade iria mudar e que, após a crise, a maioria continuaria como antes.

Semanas depois, respondi à contestação com o texto com que encerro este livro.

VOCÊ É A HUMANIDADE

A ideia de humanidade se refere a um todo da nossa espécie, o conjunto formado por "nós", seres humanos. Humanidade também se refere a atos humanos de compaixão e solidariedade. O todo da humanidade é composto da soma das unidades, ou seja, de cada um de nós.

Ingenuidade ou, no mínimo, desinformação é imaginar que "o todo" mudaria ao mesmo tempo, ou seja, acabada a crise, ao acordar no dia seguinte, todos seríamos seres mais conscientes, distribuindo compaixão e solidariedade. Não, isso nem é utopia, é tolice mesmo.

O mundo muda quando cada unidade do todo muda, pois, ao mudar uma peça do mosaico, a imagem geral muda. Quando um ser humano muda, a configuração do todo muda, a humanidade muda.

Talvez nada mude para a maioria. Talvez alguns mudem para pior, pois não sabemos quais os tipos de traumas e sequelas emocionais essa crise deixará nos comportamentos. Estamos vivendo um experimento social intenso e quase surreal.

Em vez de ficar preocupado se os outros irão mudar, foque o que você pode mudar.

Não transfira uma suposta insatisfação pessoal com a humanidade como se não fizesse parte dela. Ao fazer isso, você prega desamor, separando-se da humanidade para confortar-se no clube de quem já se acha evoluído o suficiente, "que faz tudo certinho."

O grande erro é a separação ocasionada por, no mínimo, não ter força interior suficiente para suportar o diferente e mudar a si mesmo.

É sempre muito mais fácil olhar para fora do que para dentro. É muito mais fácil criar vilões para se sentir vítima ou herói.

Para "ser humanidade", temos que deixar cair o véu que esconde a vaidade, a intolerância e a presunção.

O mundo nunca mais será o mesmo para quem estiver disposto a mudar a forma de enxergar e atuar nele.

O mundo nunca mais será o mesmo para quem aproveitar o período de isolamento e fizer um autoexame de consciência sobre o próprio estilo de vida e o que pode ser mudado.

O mundo continuará sendo exatamente o mesmo ou, talvez, até pior, para quem passar por essa experiência sem ser impactado por ela no coração e na mentalidade.

Em vez de julgar o mundo de fora, corrija o mundo de dentro. Mude o mundo que está dentro das suas possibilidades.

TENDÊNCIAS: O QUE VEM POR AÍ?

Estou concluindo este livro em meio à quarentena do coronavírus. Tenho acompanhado entrevistas e matérias públicas com hipóteses e tendências sobre o mundo pós-Covid-19.

As tendências não são novidades, mas o coronavírus acelerou o futuro, antecipando mudanças que estavam em curso e outras que ainda engatinhavam se observarmos a proporção do impacto delas na vida social.

A crise mostrou o tamanho da nossa vulnerabilidade e o excesso de dependência que pessoas, organizações e governos têm do sistema.

O que a maioria ou todos perderam? A sensação de controle.

O que todos sentem? Medo, insegurança e incerteza. Mesmo com a vacina, quem garante que um novo vírus não irá surgir? Será que os investimentos em ciência e saúde aumentarão? Será que a vida será mais valorizada?

São muitas dúvidas. Por essa razão, recomendo redobrar a atenção para os temas que elenquei abaixo:

1. Uma crise dessa proporção pode fazer as pessoas reverem suas **crenças e valores**. De alguma forma, conscientes ou não, a fazer um *reset*. Difícil voltar ao suposto normal após um período longo de confinamento, sendo que talvez tenha sido justamente esse normal uma das causas do problema.

2. **Agricultura familiar** e soberania alimentar: hortas em casa, permacultura, refeições simples e saudáveis.

3. **Moradias alternativas**: ecovilas, comunidades sustentáveis, *cohousings* (minivilas de amigos).

4. **Minimalismo e vida simples**: por força da circunstância, a crise fará com que as pessoas economizem mais e revejam os hábitos de consumo. A falta de dinheiro poderá ser um grande impulsionador, mas, de alguma forma, a pausa forçada revelará para a consciência de parte da sociedade o quanto o padrão de consumo e o estilo de vida estavam desequilibrados.

5. Mudanças nas **relações de trabalho**: *home office*, novos modelos de negócio e contratação, mudanças de legislação, reconfiguração dos empregos e postos de trabalho.

6. Revisão do **custo com infraestrutura**: de alguma forma, a pandemia demonstrou o quanto o valor para manter uma estrutura pode ser letal em momentos de crise. Custos com locação, instalações e mão de obra serão revistos em diversos setores. As crises forçam pessoas físicas e jurídicas a cortarem gastos. Pós-crise, a tendência será a revisão do custo das estruturas.

7. Em relação à **mobilidade**, quem puder, optará por trabalhar perto de casa, reduzirá o uso do transporte público, aumentará o tempo de trabalho em *home office*, usará meios de transporte mais econômicos, sustentáveis e seguros.

8. Aumento do **ensino à distância**: o que já era realidade será acelerado. A crise forçou escolas, professores e alunos a praticarem o ensino à distância. As escolas tentarão manter o investimento que fizeram. Além disso, a parte mais difícil foi rompida: a quebra da resistência e a criação de novos hábitos.

9. **Formas de entretenimento**: a realidade virtual, os serviços de *streaming* e as diversas soluções de interatividade e diversão mediada por tecnologia tendem a crescer e os custos a reduzir.

10. **Decrescimento**: debates, estudos e experiências de um novo modelo socioeconômico serão acelerados. Muitos paradoxos

trarão dilemas e tensões internacionais. A solidariedade e economia compartilhada tendem a crescer, ao mesmo tempo em que a tendência do nacionalismo. O empobrecimento do mundo pós-crise, a desigualdade social, as tensões militares e a violência civil podem aumentar a sensação de estresse, insegurança e tensão social. Essas são questões que geram muita preocupação.

Este é um breve resumo, fruto de leituras, pesquisas, conversas e reflexões. Não sou nenhum futurista, mas, como minimalista, todos os temas mencionados me interessam e, alguns deles, coloquei em movimento na minha vida.

ATÉ LOGO

Chegamos ao fim do livro, mas a grande obra começa agora.

Segundo Elgin,[2] "uma grande quantidade de trabalho e aprendizagem ainda está por ser realizada, antes que o potencial desse estilo de vida se torne completamente manifesto".

Sou grato pelo tempo que dedicou a esta leitura. Que ela tenha contribuído com a sua caminhada.

Enquanto não lanço o meu próximo livro, encontramo-nos no canal Mente Minimalista no YouTube, no meu blog menteminimalista.com, nas redes sociais ou, quem sabe, em algum pedaço do mundo por aí.

Até logo.

Não minimize conhecimento.

2 *ELGIN, 2012, p. 93.*

A APRENDIZAGEM CONTINUA

NÃO É SÓ O LIVRO

O livro é um dos instrumentos para disseminar o minimalismo. Seguem outras maneiras para criar sua trilha de aprendizagem.

Projetos
Blog Mente Minimalista (menteminimalista.com)
Onde escrevo meus artigos e divulgo notícias do universo minimalista.

Documentário *Mente minimalista*
Um documentário sobre minimalismo que comecei a produzir em 2019, com previsão de lançamento em 2020. Ele terá duração de noventa minutos. Acompanhe o *making of* do documentário pelo Telegram e pelo YouTube. Use a *hashtag* #documentariomenteminimalista

Redes sociais
Canal Mente Minimalista no YouTube
→ youtube.com/menteminimalista
Canal Mente Minimalista no Telegram
→ t.me/menteminimalistaoficial

Página Mente Minimalista no Facebook

→ facebook.com/menteminimalistaoficial

Grupo Mente Minimalista no Facebook

→ facebook.com/menteminimalistaoficial

Página Mente Minimalista no Instagram:

→ instagram.com/menteminimalista

Livros

A seguir, nas referências bibliográficas, todos os livros que utilizei e que podem te ajudar.

REFERÊNCIAS BIBLIOGRÁFICAS

ARTIGOS EM PERIÓDICOS

CHAYKA, Kyle. A Short History of Minimalism. *The Nation.* 14 jan. 2020. Disponível em: <https://www.thenation.com/article/archive/longing-for-less-excerpt/>. Acesso em: 14 abr. 2020.

COOPER-WHITE, Macrina. People Getting Dumber? Human Intteligence has Declined Since Vitorian Era, Research Suggests. *Huffpost.* Disponível em: <https://www.huffpostbrasil.com/entry/people-getting-dumber-human-intelligence-victoria-era_n_3293846?ri18n=true>. Acesso em: 23 abr. 2020.

COUNTRY OVERSHOOT DAYS. *Earth Overshoot Day.* Disponível em: <https://www.overshootday.org/newsroom/country-overshoot-days/>. Acesso em: 4 maio 2020.

CRUZ, Luciana. Minimal Art. Knoow.net. 14 jan. 2019. Disponível em: https://knoow.net/arteseletras/literatura/minimal-art/. Acesso em: 14 abr. 2020.

LIMA, Francine; FERNANDES, Nelito, LEMENTY, Anna C. Procuram-se criativos. *Época.* 30 jul. 2010. Disponível em: <http://revistaepoca.globo.com/Revista/Epoca/0,,EMI159267-15228,00-PROCURAMSE+CRIATIVOS.htm>. Acesso em 23 abr. 2020.

MATSUURA, Sérgio. Produção de dados dobra a cada dois anos, diz consultoria do IDC. *O Globo.* 2 set. 2012. Disponível em: <https://oglobo.globo.com/economia/producao-de-dados-dobra-cada-dois-anos-diz-consultoria-do-idc-5980214>. Acesso em: 3 jul. 2020.

MINIMALIST ART TROUGH THE AGES. *Invaluable.* 24 abr. 2017. Disponível em: <https://www.invaluable.com/blog/minimalist-art-through-the-ages/>. Acesso em: 14 abr. 2020.

NAHM, Tae Hea. "Unlearning" as the latest must-have skill for any startup CEO. *Zendesk relate*. Disponível em: <https://relate.zendesk.com/articles/unlearning-latest-must-skill-startup-ceo/>. Acesso em: 4 maio 2020.

PETRONE, Paul. The Skills Companies Nneed Most in 2019. *LinkedIn Learning*. 1º jan. 2019. Disponível em: <https://learning.linkedin.com/blog/top-skills/the-skills-companies-need-most-in-2019--and-how-to-learn-them>. Acesso em: 3 jul. 2020.

RODRIGUES, Maria Fernanda. Pesquisa Retratos da Leitura cresce e começa a ser feita no Brasil todo. *O Estado de S. Paulo*. São Paulo, 7 nov. 2019. Cultura. Disponível em: <https://cultura.estadao.com.br/noticias/literatura,pesquisa-retratos-da-leitura-cresce-e-comeca-a-ser-feita-no-brasil-todo,70003078440>. Acesso em: 22 abr. 2020.

STAUT, Bernardo. A internet nos torna mais inteligentes ou mais burros? *Hypescience*. 12 mar. 2012. Disponível em: <https://hypescience.com/a-internet-nos-torna-mais-inteligentes-ou-mais-burros/>. Acesso em: 23 abr. 2020.

DOCUMENTÁRIOS

A CARNE é fraca. Realização: Instituto Nina Rosa. Brasil, 12 nov. 2012. 1 vídeo (53 min.). Disponível em: < https://www.youtube.com/watch?v=rr-FsGTw5bCw>. Acesso em: 16 abr. 2020.

A GERAÇÃO da riqueza. Direção: Lauren Greenfield. EUA 2018. 1 vídeo (106 min.). Disponível em: <http://www.adorocinema.com/filmes/filme-261121/>. Acesso em: 3 jul.2020.

COMPRAR, tirar, comprar. Direção: Cosima Dannoritzer. França. 2010. 1 vídeo (75 min.). Disponível em: <https://www.cinefrance.com.br/filmes/comprar-tirar-comprar-2010>. Acesso em: 3 jul. 2020.

DIETA de gladiadores. Direção: Louie Psihoyos. Produção: Jackie Chan, Arnold Schwarzenegger e James Cameron. Brasil, 2018. 1 vídeo (85 min.). Disponível em: <https://www.netflix.com/br/title/81157840 >. Acesso em: 16 abr. 2020.

FEED UP. Direção: Stephanie Soechtig. EUA, 2016. 1 vídeo (100 min.). Disponível em: <https://www.youtube.com/watch?v=wPHvvP8Ih2g>. Acesso em: 16 abr. 2020.

FOOD Chains. Direção: Sanjay Rawal. EUA, 2015. 1 vídeo (83 min.). Disponível em: <http://www.adorocinema.com/filmes/filme-232828/trailer-19542127/>. Acesso em: 16 abr. 2020.

FORKS over knives. EUA, 2011. 1 vídeo. Disponível em: <https://www.forksoverknives.com/the-film/>. Acesso em: 16 abr. 2020.

HUMAN. Direção: Yann Arthus-Bertrand. Produção: Jean-Yves Robin. Música: Armand Amar. França, 12 set. 2015. 1 vídeo (188 min.). Disponível em: <https://www.youtube.com/watch?v=FpfsXQKG8vY>. Acesso em: 16 abr. 2020.

ILHA das flores. Direção e roteiro: Jorge Furtado. Brasil. 1989. 1 vídeo (13 min.). Disponível em: <https://www.imdb.com/title/tt0097564/>. Acesso em: 3 jul. 2020.

MINIMALIST: a Documentary About the Important Things. Direção: Matt D'Avella. EUA. 2016. 1 vídeo (78 min.). Disponível em: <https://minimalismfilm.com/watch/>. Acesso em: 3 jul. 2020.

MY stuff. Direção: Petri Luukkainen. Finlandia. 2013. 1 vídeo (80 min.). Disponível em: <http://mystuffmovie.com/>. Acesso em: 3 jul. 2020.

NO Impact Man. Direção: Laura Gabbert e Justin Schein. Produção: Eden Wurmfeld e Laura Gabbert. EUA. 4 set. 2009. 1 vídeo (93 min.). Disponível em: < https://colinbeavan.com/search-no-impact/#js>. Acesso em: 3 jul. 2020.

PARADISE or Oblivion. Direção: Roxanne Meadows. USA. 1º mar. 2012. 1 vídeo (45 min.). Disponível em: <https://www.thevenusproject.com/multimedia/paradise-or-oblivion/> Acesso em: 3 jul. 2020.

PLANET of the Humans. Direção: Jeff Gibbs. Produção: Ozzie Zehner e Huron Montain Films. EUA, 2020. 1 vídeo (100 min.). Disponível em: <https://verdademundial.com.br/2020/05/planeta-dos-humanos-michael-moore-legendado/>. Acesso em: 3 jul. 2020.

THE Corporation. Direção e produção: Mark Achbar e Jennifer Abbott. Canadá. 2003. 1 vídeo (145 min.). Disponível em: <https://www.thecorporation.com/>. Acesso em: 3 jul. 2020.

THE Story of Stuff. Direção: Luis Fox. Produção: Erica Priggen. Edição: Braelan Murray. USA. 4 dez. 2007. 1 vídeo (20 min.). Disponível em: <https://www.storyofstuff.org/>. Acesso em: 3 jul. 2020.

THE True Cost. Direção e produção: Andrew Morgan. France. 2015. 1 vídeo (92 min.). Disponível em: <imdb.com/title/tt3162938/>. Acesso em: 3 jul. 2020.

VIDA sóbria. Direção: Simão Oliveira. Brasil, 2019. 1 vídeo (14 min.). Disponível em: <https://www.youtube.com/watch?v=7L6jCsrwB9w>. Acesso em: 3 jul. 2020.

WHAT the health. Produção: Leonardo DiCaprio. EUA, 2017. 1 vídeo (92 min.). Disponível em: <https://www.netflix.com/br/Title/80174177>. Acesso em: 16 abr. 2020.

LIVROS

ALLEN, David. *A arte de fazer acontecer*: o método GTD – Getting Things Done. Rio de Janeiro: Sextante, 2015.

BABAUTA, Leo. *O guia simples para uma vida minimalista*. Sonhos de tubo Press, 2019. *E-book*.

_____. *Quanto menos, melhor*. Rio de Janeiro: Sextante, 2010.

BATHELOR, David:. *Minimalismo*. São Paulo: Cosac Naify, 1999.

BECKER, Joshua. *A casa minimalista*: guia prático para uma vida livre de excessos materiais e com novo propósito. Rio de Janeiro: Agir, 2019.

BOLES, Blake. *A arte da aprendizagem autodirigida*: 23 dicas para você dar a si mesmo uma educação não convencional. São Paulo: Multiversidade, 2017.

BROWN, Brené. *A coragem de ser imperfeito*. Rio de Janeiro: Sextante, 2016.

BRUNO, Dave. *O desafio das 100 coisas*: como me livrei de quase tudo, refiz a minha vida e recuperei minha alma. São Paulo: Pergaminho, 2011

CSIKSZENTMIHALYI, Mihaly. *A descoberta do fluxo*. São Paulo: Rocco, 1999

DEMPSEY, Amy. *Estilos, escolas & movimentos*. São Paulo: Cosac & Naify, 2010,

ELGIN, Duane. *Simplicidade voluntária*: em busca de um estilo de vida exteriormente simples, mas interiormente rico. São Paulo: Cultrix, 2005.

FERREIRA, Gianini. *Mindset de mudança*: como conduzir mudanças significativas na vida. São Paulo: Edição independente, 2019.

GARCÍA, Héctor; MIRALLES, Francesc. *Ikigai*: os segredos dos japoneses para uma vida longa e feliz. São Paulo: Intrínseca, 2018.

GEORGE, Mike. *Mindsets*: altere suas percepções, crie novas perspectivas e mude seu modo de pensar. Petrópolis: Vozes, 2017.

JAY, Francine. *Menos é mais*: um guia minimalista para organizar e simplificar sua vida. São Paulo: Fontanar, 2016.

KRZNARIC, Roman. *Carpe diem*: resgatando a arte de aproveitar a vida. São Paulo: Zahar, 2018.

MCKEOWN, Greg. *Essencialismo*. Rio de Janeiro: Sextante, 2015.

MILLBURN, Joshua F.; NICODEMUS, Ryan. *Minimalism*: Live a Meaningful Life. 2nd ed. Montana: Asymmetrical Press, 2016.

NEWPORT, Cal. *Minimalismo digital*: para uma vida profunda em um mundo superficial. São Paulo: Alta Books, 2019.

PAWSON, John. *Minimum*. Londres: Phaidon Press Limited, 1996.

RHONE, Patrick. *Enough*. Saint Paul: s/e, 2016. *E-book*.

SASAKI, Fumio. *Adeus, coisas*: como encontrar a felicidade tendo apenas o essencial. Amadora: Nascente, 2017.

SCHUMACKER, E. F. *O negócio é ser pequeno*. [S.l.:s.n], 1983.

TAIBO, Carlos. *Decrescimento, crise, capitalismo*. Ponta Grossa: Monstros dos mares, [s.d.].

THOREAU, Henry D. *Walden, ou A vida nos bosques*. São Paulo: Edipro, 2018.

_____. *A desobediência civil*. São Paulo: Penguin, 2012.

TOLLE, Eckhart. O poder do agora. Rio de Janeiro: Sextante, 2000.

VIDOTO, Marcia Lobo. *Saúde nua e crua*: alimentos na prevenção e cura de doenças, peso ideal e qualidade de vida. Curitiba: Bio Editora, 2016.

Contato com o autor:
gferreira@editoraevora.com.br

Este livro foi impresso pela gráfica Renovagraf em papel *Pólen Soft* 70 g.